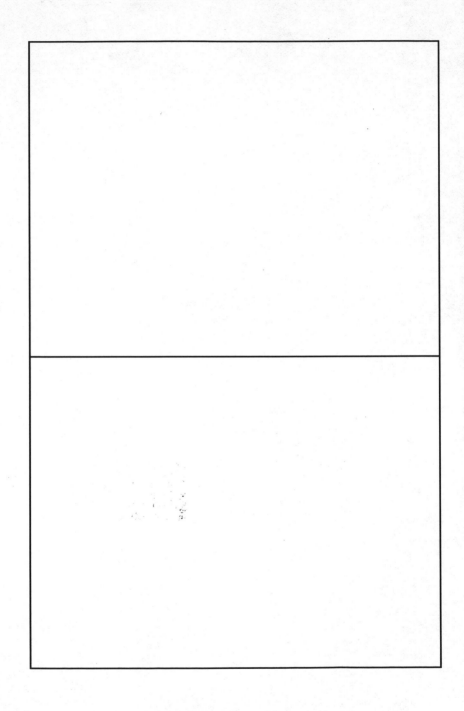

Jörg Weigand

PSEUDONYME
Ein Lexikon

Decknamen der Autoren deutschsprachiger
erzählender Literatur

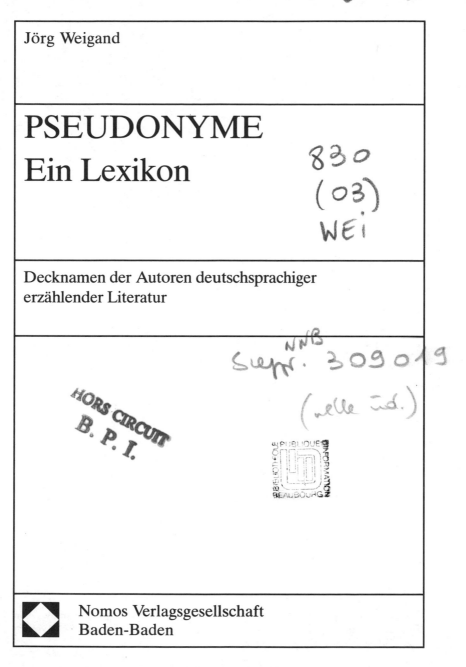

Nomos Verlagsgesellschaft
Baden-Baden

Die Deutsche Bibliothek – CIP-Einheitsaufnahme

Weigand, Jörg:
Pseudonyme: Ein Lexikon; Decknamen der Autoren deutschsprachiger erzählen-
der Literatur / Jörg Weigand. – 1. Aufl. – Baden-Baden: Nomos Verl.-Ges., 1991
  ISBN 3-7890-2279-9
NE: HST

1. Auflage 1991
© Nomos Verlagsgesellschaft, Baden-Baden 1991. Printed in Germany. Alle
Rechte, auch die des Nachdrucks von Auszügen, der photomechanischen Wieder-
gabe und der Übersetzung, vorbehalten.

Inhaltsverzeichnis

Einleitung

Eine Literaturgeschichte ohne das Rätsel der Pseudonyme – das wäre wie eine Suppe ohne Salz. Es hat einen eigenen Reiz nachzuvollziehen, ob und welchen Decknamen ein Autor verwendet hat oder noch verwendet; was ihn dazu gebracht hat, einen »nom de plume« zu verwenden; und schließlich ist es auch aufschlußreich zu sehen, in welchen Bereichen der Literatur welche Tarnnamen in Gebrauch waren bzw. sind.

Pseudonyme waren nicht zu allen Zeiten für Autoren so selbstverständlich wie dies heute erscheinen mag. Zu Zeiten der beiden Literaturgiganten Goethe und Schiller bevorzugte man die anonyme Publikation, wenn etwas gesagt werden sollte, mit dem der Autor nicht direkt in Verbindung gebracht werden wollte. Erst der literarische Massenausstoß, insbesondere an mehr oder minder seichter Unterhaltung, im 20. Jahrhundert hat die Verwendung von Decknamen zu wilder Blüte getrieben.

In Teilbereichen der erzählenden/unterhaltenden Literatur gibt es, etwa bei der Science Fiction oder im Gesamtbereich der Phantastik, recht brauchbare Nachschlagewerke, die freilich – wie alle Versuche dieser Art – nicht frei sind von Fehlern und Irrtümern, Auslassungen und Versäumnissen.

Daß dem so ist, hängt eng mit dem Wesen des behandelten Gegenstands zusammen: Das Pseudonym, so sein Sinn, soll denjenigen unkenntlich machen, seine wahre Persönlichkeit verbergen, der sich seiner bedient. Doch kann solch durchaus legitimer Versuch, hinter sein Werk zurückzustehen und unerkannt zu bleiben, oft genug unterlaufen werden, reizt doch gerade das Bemühen, vom Leser unerkannt zu bleiben, dazu, den wahren Autor zu entlarven.

Dies zu verhindern, ist immer wieder das Bestreben der Autoren und ihrer Verleger. Jüngstes Beispiel dafür kommt aus Italien. In der ersten Hälfte des Jahres 1990 suchte der Mailänder Verlag Gitti nach »Schriftstellern und nicht nach Zuchthennen«. Verleger Giovanni Tritto, der Autoren zum Schreiben von Texten veranlassen will, die von den Ideen und Phantasien der Autoren, nicht von den Gesetzen des Marktes bestimmt werden, verband die Einladung an die Autoren mit der Zusicherung, bei ihm könne jeder unter Pseudonym schreiben – die Wahrung dieses Decknamens werde notariell beglaubigt.

Autoren möchten verständlicherweise ihre Pseudonyme gewahrt wissen, daher muß ein solches Unternehmen, wie das hier vorgelegte, zwangsläufig unvollständig bleiben, wenn auch auf möglichst hohe Vollständigkeit Wert gelegt wurde. Autoren, mit denen ich in Kontakt trat, reagierten unterschiedlich. Neben selbstverständlicher, umfassender Zusammenarbeit des einen stand auch krasse Ablehnung anderer. So schrieb eine Berliner Autorin von Heftromanen:

»Was mich angeht, so habe ich die Anonymität aus mancherlei Gründen eher als Schutz empfunden... Letztlich steht in meinem Genre auch so etwas wie literarische Anerkennung nicht zur Debatte. Ich wüßte wirklich nicht, was mich bewegen könnte, in einem entsprechenden Lexikon aufgenommen werden zu wollen.« Eine glatte Absage, wie so oft im Laufe dieser Nachforschungen. Dennoch ist das Aufdecken von Pseudonymen eine Art von Detektivarbeit, die – auch bei hinhaltendem Widerstand oder Ausweichen der Betroffenen – durchaus Aussicht auf Erfolg hat:

– Sei es, daß der Autor sich selbst in einem unachtsamen Moment verplaudert, was durchaus vorkommt;
– sei es, daß ein professionell Eingeweihter (Verleger, Lektor, literarischer Agent, Mitarbeiter), mag er zur Vertraulichkeit verpflichtet sein oder auch nicht, die Information weitergibt;
– sei es, daß ein Freund oder Bekannter des Autors sein Wissen arglos ausspricht;
– möglich auch, daß das Pseudonym selbst Rückschlüsse auf seinen Verwender zuläßt.
– Dann gibt es auch die Möglichkeit, über Textanalyse auf den richtigen Autor zu schließen und diesen damit zu konfrontieren, so daß er den Versuch, sich hinter dem Tarnnamen zu verstecken, aufgibt.
– Nicht selten ist ein Autor im zeitlichen Abstand auch bereit, sein(e) Pseudonym(e) zu lüften, insbesondere dann, wenn sich der große Publikumserfolg eingestellt hat.
– Und nicht zuletzt eröffnen auch Autorennachlässe manche Möglichkeit, Pseudonymen auf die Spur zu kommen.

Was bisher fehlte, ist ein Pseudonymenlexikon für den Gesamtbereich der unterhaltenden Prosaliteratur, insbesondere bis hinein in die Bereiche der ausgesprochenen Massenliteratur wie der Heftromane. Dieses Nachschlagewerk will diesem Mangel abhelfen und beschränkt sich bewußt auf den deutschsprachigen Bereich der erzählenden/unterhaltenden Literatur. Jede Ausweitung, etwa international oder in andere Bereiche des Schreibens, z. B. des Sachbuchs, hinein, hätte einen vernünftigen Rahmen gesprengt bzw. hätte von einem einzelnen Bearbeiter nicht geleistet werden können. Dennoch sind bei den Autoren unterhaltender Literatur auch darüber hinausgehende Pseudonyme registriert worden, sofern sie etwa im Sachbuch- oder im Übersetzungsbereich tätig wurden.

Das hier vorgelegte Lexikon ist das Ergebnis von zweieinhalb Jahrzehnten Sammeltätigkeit, gelegentlichem Notieren eines Namens, aber auch immer wieder systematischem Nachforschen – insbesondere in der Endphase der Fertigstellung des Projekts. Trotz dieses langen Zeitraums und der aufgewendeten Mühe kann auch das vorliegende Lexikon keinesfalls den Anspruch auf Vollständigkeit erheben – das stünde dem Wesen des Pseudonyms entgegen

–, sondern ist auf Ergänzungen sowie das Ausmerzen von Irrtümern und Fehlern durch den Benutzer angewiesen, schließlich entstehen laufend neue Pseudonyme und werden weitere enttarnt. Darum sei an dieser Stelle herzlich um Mitteilung (über die Adresse des Verlages) gebeten.

Warum nun gebraucht ein Autor unterhaltender Literatur ein oder gar mehrere Pseudonyme? Dafür gibt es eine ganze Anzahl von Gründen:

– Berufliche, persönliche bzw. familiäre Gründe legen häufig die Benutzung eines Pseudonyms nahe. Nicht selten identifiziert sich der Autor wenig oder gar nicht mit seinem Text, achtet ihn selbst minder oder fürchtet derartige Einschätzung von anderer Seite.

– Der eigene Name ist schwierig auszusprechen, etwa Kalmuczak, Sochaszewski oder Kolatschewsky, für das Publikum schwierig zu merken. Dann empfiehlt sich ein einfacherer, einprägsamer Autorenname.

– Frauen verwenden häufig ihren Mädchennamen weiter, wenn sie bereits vor der Eheschließung geschrieben haben.

– Frauen legten sich noch vor wenigen Jahren häufig ein männliches Pseudonym zu, wenn sie im Bereich der sogenannten »Männer«- oder »Aktionsliteratur« (Krimi, Western, Science Fiction usw.) schrieben.

– Umgekehrt bedienen sich männlichliche Autoren häufig weiblicher Pseudonyme, wenn sie sogenannte »Frauenromane« (Heimatromane, Arztromane, Fürstenromane), vorzüglich im Heftromanbereich, schreiben.

– Um glaubwürdiger oder eindrucksvoller zu wirken, wird oft ein Titel wie »Professor«, »Captain« etc. verwendet.

– Wenn Vorurteile gegenüber einer bestimmten Bevölkerungsgruppe bestehen bzw. bereits mit deren bzw. ähnlich klingenden Namen gleichgesetzt werden, empfiehlt es sich, einen anderen Autorennamen zu wählen. So wurde etwa aus Seligmann Kohn der Autor »Friedrich Korn«.

– Wechselt ein Autor das Genre, in dem er schreibt, etwa vom Krimi zur Science Fiction, kommt es häufig zur Änderung des Pseudonyms.

– Besonders in der Massenliteratur des Heftromans benötigt der Autor neue Pseudonyme, wenn er für einen zweiten oder gar dritten Verlag ebenfalls tätig werden will. In der Regel machen das die entsprechenden Verlagshäuser sogar zur Auflage.

– Gibt es zwei Autoren mit gleichem Namen, dann wird der zuerst auf dem Markt Präsente die älteren Rechte daran geltend machen können: schon um nicht Opfer von (eventuell auch peinlichen) Verwechslungen zu werden, wird sich der andere Autor lieber gleich ein Pseudonym zulegen.

– Autoren mit einem Massenausstoß an Texten – Büchern und Kurzprosa – legen sich in der Regel mehrere Pseudonyme zu, auch wenn sie im gleichen Genre bleiben. Damit wird dem Publikum eine Vielzahl von Autoren vorgegaukelt; ein Überdruß über den immer und ewig gleichen Autor vermieden. Gutes Beispiel dafür ist Rolf Kalmuczak, der in diesem

Lexikon mit sage und schreibe 89 Pseudonymen vertreten ist (und das dürfte auch international ein Rekord sein).
- Nicht immer geht die Verwendung eines Pseudonyms auf den Autor selbst zurück. Die Massenverlage des Heftromans bestehen etwa beim Western in der Regel auf einem amerikanisch klingenden Pseudonym, um den Roman beim Leser dadurch authentischer erscheinen zu lassen.
- Hinzu kommen noch sogenannte Sammel- und Verlagspseudonyme, von denen es eine Unzahl gibt. Unter einem Sammelpseudonym schreiben verschiedene Autoren in Absprache gemeinsam. Verlagspseudonyme sind Eigentum des jeweiligen Verlags, sie werden benutzt etwa für Serien mit einem immer gleichbleibenden Helden wie »Jerry Cotton« (bei dem der Name des Helden identisch ist mit dem Seriennamen und gleichzeitig als Verlagspseudonym Verwendung findet) oder »Lassiter« (wo die Autoren unter dem vom Verlag bestimmten gemeinsamen Autorennamen »Jack Slade« schreiben. Übrigens war Jack Slade ein wirklicher amerikanischer Autor, über dessen Titelheld »Lassiter« nun von der deutschen Autorencrew weitere Abenteuer geschrieben werden). Es gibt viele weitere. Die Namen derer, die unter solchen Verlagspseudonymen mitarbeiten, gelten oft als wohlgehütetes »Verlagsgeheimnis«; manchmal gibt es gar in den Autorenverträgen einen Passus, der den Autoren die Geheimhaltung zur Auflage macht. Dadurch wird auch nur eine Auflistung, wer unter solchem Pseudonym geschrieben hat, fast zur Unmöglichkeit; dennoch führt auch hier Beharrlichkeit manchmal zum Ziel. So konnten z. B. bei »Jerry Cotton« für dieses Lexikon bisher 64 Autoren als Beiträger der Serie identifiziert werden, bei »Lassiter« war es gerade noch knapp die Hälfte, nämlich immerhin 31 Autoren.

Woher holen sich nun die Autoren ihre Pseudonyme, wie bilden sie ihre »pen names«? Eine Frage, die einfach aussieht, auf die es aber vielfältige Antworten gibt. Auffällig ist, vorweg gesagt, daß es eine ganze Reihe von Autoren darauf anzulegen scheint, daß der verwendete Verfassername sogleich als Pseudonym erkannt werden kann. Da gibt es »Anders« und »Alter«, »Anderer« und »Nobody«, aber auch »Mynona«, was nichts anderes darstellt als »anonym« rückwärts gelesen.

Ansonsten kann man sagen, daß es fast unerschöpflich viele Varianten gibt, Pseudonyme zu bilden. Einige sollen hier, beispielhaft, vorgestellt werden:

Beliebt ist das Spiel mit dem eigenen Namen:
- Am bekanntesten das Anagramm, eine Umstellung der gesamten Buchstaben eines Namens zu einem neuen: aus dem Familiennamen Harmening wird so »Erningham«, aus Karl-Heinz Bolay wird »Ugo da Byola«. Oder, eine andere Art von Anagramm, nicht am Namen, sondern an der Tätigkeit orientiert: Wolfgang Jeschke, Herausgeber von Science Fiction und Fantasy, verwendet für redaktionelle Belange die Anagramme »E. Senftbauer« (SF-Abenteuer) und »F. Stanya« (=Fantasy).

- Der eigene Name wird rückwärts gelesen: aus Otto Kindler wird »C. E. Reldnik«, aus Helmut Nolte »Tumleh Etlon«.
- Der eigene Name wird zerstückelt und bildet so einen neuen: Hans Perthes firmiert so als »P. R. Thes«, August Scherl als »Volkhard S. C. H. Erl« oder Carl Wilhelm Amberger als »Carl Wilhelm am Berger«.
- Manches Mal wird auch nur ein einziger Buchstabe weggelassen, z. B. wird aus Achim Ochs der Autor »Achim Och«.
- Durch einfache Silbenumstellung entsteht ein ganz neuer Name: aus Walter Ruppert wird »Bert Pertrup« und Conrad Bergauer verwandelt sich in »Georg Auberger«.
- Beliebt ist auch, die beiden eigenen Vornamen als vollgültiges Pseudonym zu verwenden, etwa Paul Hermann Schubert als »Paul Hermann«.
- Der eigene Name wird paraphrasiert: aus Werner Ackermann wird »Robert Landmann«.
- Der bürgerliche Name wird in eine andere Sprache übersetzt, z.B. wird aus Werner Ackermann »W. A. Fieldman«, aus Peter Berger wird »Pitt Mount«; und Wilhelm Raabe nannte sich schon mal »Jakob Corvinus«.
- Nur Teile des eigenen Namens werden verwendet: Elisabeth Aegerter-Hartmann firmiert als Autorin unter Elisabeth Gerter, Hermann Beuttenmüller schreibt unter »Hermann Beutten«, H. G. Franciskowsky eliminiert den Mittelteil seines Namens: »Frank Sky«. Und – mit einer kleinen Abänderung – wird aus Gerhard Aichinger »Gerhard Aick«.
- Synonyme des eigenen Namens geben die Möglichkeit, auf elegante Weise ein Pseudonym zu bilden: Hasso Plötze wurde so zu »Hasso Hecht«.
- Die Initialen des eigenen Vor- und Nachnamens werden beibehalten, die Namen aber geändert: Aus Helmut Böhm-Raffay wird der Autor »Heinz Brandtner«.
- Ganz raffiniert glaubt sich mancher, der gleich noch die Initialen der eigenen Vor- und Familiennamen gegeneinander vertauscht, ansonsten wie oben verfährt: aus Rudolf Nehls wird auf diese Weise »Niels Rissow«.
- Oft werden die Initialen des eigenen Vor- und Familiennamens als Vornamenkürzel für das Pseudonym verwendet: Hinter »H. B. Corell« verbirgt sich Hubertus von Blücher.
- Oft wird der eigene Vorname beibehalten: Peter Dubina schrieb auch als »Peter Dörner« und »Peter Derringer«. Bei Frauen stellt diese Art des Pseudonyms in der Regel nichts weiter als die Verwendung des Mädchennamens dar.
- Ein einziger Buchstabe des Vornamens wird ausgewechselt und schon entsteht ein Pseudonym für harte Aktionsromane: Franz Glaser schreibt unter »Frank Glaser«.
- Gern hängt sich so mancher Autor an den Erfolg eines berühmteren oder auch nur erfolgreicheren Kollegen an: Hermann O. F. Goedsche erlangte

Welterfolge mit seinem Pseudonym »Sir John Retcliffe«. Der ein Jahr nach Goedsches Tod geborene Robert Heymann sen. hängte sich an diesen Erfolg dran und nannte sich »Sir John Retcliffe d. J.«. Anderes Beispiel: Sobald der Deutsche Gert F. Unger, er schreibt unter »G. F. Unger«, seine ersten großen Erfolge als Westernautor vorweisen konnte, bildete er nicht nur ein eigenes Pseudonym mit den gleichen Vornamenkürzeln »G. F. Bucket«, auch die Konkurrenz schlief nicht: Da gab es auf einmal »G. F. Barner«, »G. F. Waco«, »G. F. Traiber«, »G. F. Wego«. Und noch ein Beispiel: Der große Erfolg des amerikanischen Thrillerautors Mickey Spillane unmittelbar nach dem Zweiten Weltkrieg inspirierte die deutschen Krimiautoren, sich ähnlich klingende Verfassernamen zuzulegen: Günter Dönges wurde zu »Mickey Gillane«, Karl-Heinz Berndt schrieb unter »Berny Gubane«.

- Innerhalb des eigenen Pseudonyms kann es zu Silbenverschiebungen kommen: Walter de Planque bediente sich der beiden Decknamen »Igon Fredman« und »Ingo Manfred«.
- Eine rein lautliche Angleichung macht aus einem deutschen Namen ein englisch klingendes Pseudonym: Karl-Heinz Prieß wird zu »Charles M. Preece«.
- Je nach Genre, in dem der Autor schreibt, wird lediglich der Vorname ausgetauscht: Alfred Wallon schreibt Western unter »Al Wallon« und Frauenromane unter »Claudine Wallon«.
- Das ist häufig der Fall: Schreiben Männer Frauenromane, wird ein weiblicher Verfassername gewählt; Julius Pfragner wird auf diese Weise zu »Julia Genner«.
- Oft diktiert das Genre das Pseudonym: »Clay Hunter« oder »King Colt« für Western; »Jeff Conter« und »Franco Solo« für Krimis; »Jason Dark« oder »Dan Shocker« für Gruselromane; »Thomas Cyborg« und »Conrad Shepherd« (Familiennamen zweier amerikanischer Astronauten) für Science Fiction; »Dagmar von Kirchstein« und »Frank von Falkenberg« für Fürstenromane; »M. B. Birkenau« oder »Georg Altlechner« für Heimatromane.«
- Manches Pseudonym ist geradezu programmatisch: »Waldo Willrecht« und »Florian Frommherz« sind zwei Beispiele desselben Autors Josef Albicker, »Michel Pinscher« ein anderes von Karl-Heinz Berndt.
- Typisches Beipiel für eine Parodie: Statt Isaac Asimov, den die beiden deutschen Autoren Uwe Anton und Ronald M. Hahn aufs Korn nehmen, steht da in der Autorenzeile »Isaak Asimuff«.
- Auch nach Wohn- oder Geburtsort werden Autorennamen gebildet: Wilhelm Schmidt nannte sich »Wilhelm Schmidtbonn«; Walter Jens lebte in Freiburg, als er zu schreiben begann, er veröffentlichte unter »Walter Freiburger«. Ganz schlau fing es Bernhard Willms an, seinen Wohnort Remagen findet man, rückwärts gelesen, als »N. E. Gamer« wieder.

Wie verschlungen manche Gedanken bei der Bildung eines Pseudonyms gehen (und dementsprechend für den außenstehenden Leser bzw. Enträtsler schwer nachvollziehbar), mag folgendes Beispiel zeigen. Margrit Schuler-Lentz war dankenswerterweise bereit, sich in die Karten schauen zu lassen. Sie schreibt: »Kurz zur Wahl des Pseudonyms. Ich glaube, es kreist (kreißt?) unbewußt doch um den eigenen Namen. »Roma Lentz« ist klar, es ist die Mitte meines Namens – Margrit Roma Lentz verh. Schuler. Unter diesem Pseudonym schreibe ich deutsche Fürstenromane. Als ich mir meinen ersten amerikanischen Namen zulegen mußte, nahm ich Spring = Lentz, plus Della (Street), weil die Perry-Mason-Romane mein erster literarischer Kontakt mit der amerikanischen Sprache waren. Beim zweiten amerikanischen Namen (erforderlich, da ich für einen anderen Verlag angeblich aus Amerika kommende Literatur fabriziere) – ging ich zurück auf Margrit und holte mir (Perry) Mason als Nachnamen.«

Dieses Lexikon gliedert sich in zwei Teile:

Teil A listet die Realnamen der Autoren auf und vermerkt, wo zugänglich, das Geburtsjahr und Sterbejahr. Die Pseudonyme wurden in alphabetischer Reihenfolge aufgelistet und innerhalb des Einzelbuchstabens durchnumeriert. Schließlich wurde versucht, herauszubekommen, in welchen Bereichen der Autor/die Autorin tätig war bzw. ist. Dabei bedeuten die Kürzel:

A = Abenteuer

E = Erotik, Porno

F = Fantasy

H = Horror, Gruselroman

J = Jugendbuch

K = Krimi, Spionageroman, Thriller

L = Lyrik

Ph = Phantastik

R = Roman/Erzählung allgemein (incl. Herausgaben)

Rez. = Rezension

Sach = Sachbuch

SF = Science Fiction

Ü = Übersetzung

W = Western

Zur Kennzeichnung der Pseudonyme werden folgende Kürzel verwendet:

PP = Persönliches Pseudonym eines Autors, der einen oder mehrere andere Autoren gelegentlich oder auf Dauer unter diesem Namen mitschreiben läßt.

PP* = Autor, dem dieses persönliche Pseudonym gehört.

SP = Sammelpseudonym mehrerer Autoren.

VP = Verlagspseudonym.

Wie bei den übrigen Angaben, sind gerade bei diesen Hinweisen Irrtümer, Fehlinformationen oder Auslassungen fast schon vorgegeben. Der Leser sei herzlich gebeten, Korrekturen bzw. Ergänzungen über den Verlag an den Autor weiterzugeben.

Teil B listet in alphabetischer Reihenfolge die Pseudonyme auf. Der Hinweis auf den Realnamen des Verfassers erfolgt über die durch die Durchnummerierung in Teil A entstandene Chiffre. Ein Beispiel: Das Pseudonym »RONECK, Eleonore« trägt den Verweis B229; in Teil A, Buchstabe B findet sich an 229. Stelle der Realname Eleonore Brückner.

Ein solches Projekt wie das vorliegende kann nicht gedeihen ohne die Hilfe vieler Menschen, die hier namentlich aufzuführen zu weit führen würde. Auch steht manche Zusage auf Vertraulichkeit der Information einer Namensnennung im Wege. Mein Dank geht daher pauschal an alle, die Anteil an diesem Werk genommen und durch ihr gezeigtes Interesse und tätige Mithilfe mich unterstützt und immer wieder ermutigt haben, dieses Lexikon letztendlich doch noch fertigzustellen.

Teil A

Aoo1 AARON, Adolf   1838 – 1908
       Adolf L'Arronge   R

Aoo2 ABESSER, Rudy   1922 –
       Abbo Hendrik   R

Aoo3 ABSHAGEN, Margarete   1879 –
       Margarete Thiele   J

Aoo4 ACKERMANN, Ingeborg   1913 –
       Teda Bork   R

Aoo5 ACKERMANN, Werner   1892 –
       W. A. Fieldman   R
       Rico Gala
       Robert Landmann

Aoo6 ADAM VAN EYCK, Herbert   1913 – 1970
       Thomas M. Westerkamp   J

Aoo7 ADLER-GERTLER, Ditta   1928 –
       Ditta Gertler   R

Aoo8 AEGERTER-HARTMANN, Elisabeth   1895 –
       Elisabeth Gerter   R

Aoo9 AFZALI, Karin   1957 –
       Karin Liepelt   SF

Ao1o AHLBORN-WILKE, Dirk   1949 –
       Dirk Wilke   R

Ao11 AHLERS, Heilwig (geb. v. d. Mehden)   1923 –
       Heilwig von der Mehden   R

Ao12 AHRENS, Annemarie   1938 –
       Cornelia Boysen   R

Ao13 AICHBICHLER, Wilhelmine M. (geb. Wieser)   1904 –
       Dolores Vieser   R

Ao14 AICHINGER, Gerhard   19oo – 1978
     Gerhard Aick   R

Ao15 ALBERT, Max   19o5 –
     Till Lykke   R/A
     Albert Steen

Ao16 ALBICKER, Josef   1896 –
     Florian Frommherz   R
     Waldo Willrecht

Ao17 ALBRECHT, Fritz   1911 –
     Robert Ritter   J

Ao18 ALBRECHT, Paul   1863 –
     Hans Hardt   SF

Ao19 ALEXANDER, Albrecht   19o1 –
     Alexandre Alexandre   Ph/R

Ao2o ALEXY, Eduard   1916 –
     Edo Cyprian   J/R

Ao21 ALLMENDINGER, Karl
     Karl Borus v. Mühlau
     Felix Nabor

Ao22 ALPERS, Hans Joachim   1943 –
     Jürgen Andreas   SF/J/Rez
     Thorn Forrester (SP,mit G. Maximovic)
     Daniel Herbst (mit R. M. Hahn)
     Gregory Kern (VP)
     Hans Kurz
     Mischa Morrison (PP*)
     Peter T. Vieton
     Jörn de Vries

Ao23 ALTEN, Ingrid   1937 –
     Nanata Mawatani   R

Ao24 ALTENHÖFER, Ludwig   1921 –
     Victor Petit   J/R

Ao25 ALTENHOFF, Wolfgang   1945 –
      Sebastian Wolff   R

Ao26 ALVENSLEBEN, Karl Ludwig von   1800 – 1868
      L. v. Ange   Ph
      Gustav Sellen

Ao27 ALZMANN, Helmut   1927 –
      Leopold Ahlsen   R

Ao28 AMBERGER, Carl Wilhelm   19o8 –
      Carl Wilhelm am Berger   R

Ao29 AMERLING, Maja
      Maja Merling

Ao3o AMLER, Irene   192o –
      Ute Amber   R
      Arin Finch
      Kathrin Thomas

Ao31 AMON, Hans-Walter   1926 –
      Ina Alken   R

Ao32 ANDERMANN, Brigitte   1921 –
      Brigitte Altenau   J

Ao33 ANDERS, Ludwig Ferdinand   18o6 – 1872
      Ferdinand Stolle   Ph/R

Ao34 ANDERSEN, Nils
      Ralf Joyston   SF

Ao35 ANDRÉ, Herbert
      Bert Andrew   SF

Ao36 ANDREAS, Willy   1884 – 1967
      E. Curwill

Ao37 ANDREAS-DRÄNERT, Peter Walther   19oo – 1979
      Fritz Alexander   R
      Hannes Richter

Ao38 ANGER, Martin   1914 –
     Joachim Förster   J/R

Ao39 ANGSTMANN, Augustin   1947 –
     Gustl Angstmann   R

Ao4o ANSCHUETZ, A. O.
     Albert Otto Rust

Ao41 ANTON, Uwe   1956 –
     Isaak Asimuff (mit R.M.Hahn)   H/Rez/SF
     Mark Baxter (VP)
     Carsten Braun
     Frederic Collins (VP)
     Logan Derek (auch mit U. Vöhl)
     Henry Ghost (VP)
     Robert Lamont (VP)
     Frank de Lorca (VP)
     Carsten Meurer
     L. D. Palmer
     Henry Quinn (auch mit R. Zubeil)
     Heike Rademacher
     Dan Shocker (PP)
     Ted Slade
     John Spider (VP)
     Olsh Trenton (VP)
     H. P. Usher (VP)
     Hermann Wolff-Sasse

Ao42 ANZENGRUBER, Ludwig   1839 – 1889
     Ludwig Gruber   R

Ao43 APPEL, Liselotte   1921 –
     Elisabeth Charlotte Delion   K/R
     L. A. Fortride

Ao44 APPEL, Walter   1948 –
     Mark Baxter (VP)   A/H/K/R/SF/W
     John Cameron (VP)
     Carina Castello
     Steve Cooper (VP)
     Jerry Cotton (VP)

Dan Dallas
Jason Dark (PP)
Mark Denver
Brian Elliot(VP)
Frank Evans
Linda Evans
Roy Kent
Miles Kilburn
Kojak
Robert Lamont (VP)
Hondo Latimer (VP)
Jack Morton (VP)
Frank Reichardt
Robert Romen
Corinna Sandberg
Jack Slade (VP)
John Spider (SP)
Earl Warren
Linda Warren

Ao45 ARMER, Karl Michael   195o –
     Michael Lindberg   SF

Ao46 ARMING, Friedrich Wilhelm
     William Fitz-Berth

Ao47 ARNEMANN, M. F.
     Otto Kühn (SP)   Ü

Ao48 ARNIM, Bettina von   1785 – 1859
     Sankt Albin   R/Sach

Ao49 ARNOLD, HANS   1886 – 1961
     John Ray-Atkinson   A/R

Ao5o ARNOLD, Hildegard-Gertrud (geb.Linden)   1924 –
     Hiltrud Lind   J

Ao51 ARNOLD, Ignaz Ferdinand   1774 – 1812
     Theodor Ferdinand Kajetan Arnold   Ph

Ao52 ARNOLD, Tim   1941 –
        Till Pfeifer   R
        Gustav Told

Ao53 ARNOLD, Walter   1914 – 1975
        Margarete Behrend   K/R
        Sylvia Bergedorf
        Don Bleeker
        Stanley Cooper
        Dagmar von Kirchstein (VP)
        Henry C. Scott

Ao54 ARNOLDI, Henrique di   19o5 – 1979
        Heinrich Dauthage   R

Ao55 ARTMANN, Hans Carl   1921 –
        Stasi Kull   Ph/R

Ao56 ASPERN-BUCHMEIER, Elisabeth von   19o5 –
        Eva Maria Bernauer   K/R
        Hans Bundler
        Ph. Collin
        Harry Felden
        Peter Glueck
        William Graham
        E. Haller
        Margarete Malten
        Elisabeth Ney
        Fritz Nordmann
        Pitt Strong
        Peter Strunz
        Harald West
        Harald Westmann
        Bernhard Zecht

Ao57 ASTL, Jaro   1894 – 198o
        Burkhard Astl Trossau   R

Ao58 ATTENHOFER, Eduard
        Chiridonius Chrügel

Ao59 AUERSPERG, Anton Alexander von   18o6 – 1876
        Anastasius Grün   R

Ao6o AYDT, Brünhild   1938 –
        Brünhild Miller   R

Ao61 AYREN, Armin   1934 –
        Hermann Schiefer   Ph/R

Boo1 BAADE, Hanni (geb. Bohlmann) 1893 –
    Hanni Bohlmann R

Boo2 BACHMANN-MARTIG, Sina
    Sina Martig R

Boo3 BADENFELD, Eduard von
    Eduard Silesius

Boo4 BÄKER, Bernhard 192o –
    L. Tres R
    YZ

Boo5 BÄUERLE, Adolf-Johann 1786 – 1859
    Otto Horn Ph

Boo6 BAHRS, Hans 1917 – 1983
    Hanke Bruns
    Harm Lindhorst

Boo7 BAISCH, Christa 1946 –
    Cris Baisch J

Boo8 BAJOG, Günther 1927 –
    Reddy Bajox H/J/W
    Gil Barton (VP)
    Peter Burnett (VP)
    Jim Carter (VP)
    Eddy Colings (VP)
    Al Conway (VP)
    Dan Ferguson
    Bill Garrett
    Jim Jackson (VP)
    C. B. Jenkins (VP)
    James Leasor (VP)
    Benito Martinez (VP)
    Jack Morris (VP)
    Jack Morton (VP)
    Bill Murphy
    Frederick Nolan (SP)
    William O'Connor
    Glenn Patton (VP)

H. G. Roberts
Bill Shannon
Jack Slade (VP)
Gordon Spirit (VP)
Ben Tucker (VP)
Lon Warrick (VP)

Boo9 BALASSA,Ilona	192o –	
Elisabeth Pichler	R	
Bo1o BALLOD, Carl	1864 – 1933	
Atlanticus	SF	
Bo11 BALZER, Uta	1943 –	
Uta Roggendorf	R	
Bo12 BANCHINI, Elsa	19o1 – 1973	
Elsa Steinmann	J/R	
Bo13 BANDILLA, Margrit		
Laura Aupree	R	
Marnie Burton		
Katja Weiring		
Bo14 BANZHAF, Erwin		
Frank Donald	K	
Gordon Kenneth		
Ed Morel		
Rex Yale		
Bo15 BARANIECKI, Robert Leo	1914 – 1985	
Ludwig J. Horn	J/R	
Bo16 BARDEY, Emil	1898 –	
Emil Anton	R	
Bo17 BARTEL, Anne-Marie (geb.Steinwenter)	189o – 1982	
Anne-Marie Mampel	J/R	
Bo18 BARTH, Oskar	191o –	
Till Barbe	R	
Sep Rubin		

Bo19 BARTHEL, Manfred   1924 –
     Michael Haller   R
     Wolfgang Hellberg

Bo2o BARTHEL-WINKLER, Fritz und Lisa   /1893 –
     F. L. Barwin   A/R/W

Bo21 BARTOSCHEK, Eva (geb. Rechlin)   1928 –
     Eva Rechlin   J

Bo22 BARUCH, Hugo   19o7 – 1967
     Jack Bilbo
     Käpt'n Bilbo

Bo23 BARUCH, Moses   1812 -1882
     Berthold Auerbach   R
     Theobald Chauber

Bo24 BASIL, Otto   19o1 – 1983
     Markus Hörmann   R

Bo25 BASNER, Gerhard   1928 –
     G. F. Barner   W
     Howard Duff (SP)
     Gerald Frederick
     A. F. Peters jr. (SP)
     Claus Peters
     Johnny Ringo
     G. F. Waco
     G. F. Wego

Bo26 BASTIAN, Hartmut   19o5 –
     Claus Eigk   SF

Bo27 BAUCH, Käthe (geb. List, verh. Albers)   19o6 – 1971
     Karin Bucha   R

Bo28 BAUDISCH, Paul   1899 –
     Georges Roland   R

Bo29 BAUER, Dieter   1942 –
     Hedi Bauer   J

Bo3o BAUER, Herbert   19o8 –
    Michael Molander   J/R

Bo31 BAUER, Heribert
    Frank Moorfield   K
    Harry Porter

Bo32 BAUMANN, Bodo   1929 –
    Frank Bowman   H/W
    Jim Elliot
    Frank Ulman
    John Willow

Bo33 BAUMANN, Ernestine   19o4 – 1968
    Juliane Kay   R

Bo34 BAUMANN, Hans   1914 –
    Hans Westrum   J/R

Bo35 BAUMANN, Herbert   1924 –
    Frank Straass   R

Bo36 BAUMGÄRTNER, Alfred Clemens   1928 –
    Karl Friedrich Kenz   J

Bo37 BAUMGARTEN, Harald   189o – 1975
    Felix Johns   R

Bo38 BAUMGARTNER, Alfred   19o4 –
    Lothar Braun   R
    Carl Lindberg
    Jack Mortimer
    Werner Siegfried

Bo39 BAUSCH,Erika (geb.von Hornstein-Biethingen)   1913 –
    Erika von Hornstein   R

Bo4o BAUTZ, Eva-Maria   1958 –
    Eva-Maria Parasie   R

Bo41 BAYER, Hans   1914 – 198o
    Thaddäus Troll   R/SF

Bo42 BAYER, Oswald Georg   1897 –
     Bayros   R

Bo43 BEBENBURG, Walter Erich von   1927 – 1980
     W. E. Richartz   R

Bo44 BECCE, Emma (geb.Woop)   1885 –
     Maria von Sawersky   R

Bo45 BECHTHOLD, Alfred   1889 –
     Ludwig Bernhard   R

Bo46 BECHTLE, Wolfgang   1892 – 1969
     Wolf Durian   J

Bo47 BECHTLE-BECHTINGER, Joachim   1926 –
     Joachim S. Gumpert   R
     Joachim Schreck

Bo48 BECHTLE-BECHTINGER, Sibylle   1946 –
     Sibylle Durian   J
     Kim Kai

Bo49 BECK, Florian
     John F. Beck   W
     Frederick Nolan (SP)
     Jack Slade (VP)

Bo5o BECKER, Alfred
     Neal Chadwick   W

Bo51 BECKER, Bernd   1879 –
     Bernd Beckstrat   R

Bo52 BECKER, Kurt   1931 –
     Gunter Martell   J/SF

Bo53 BECKER, Marietta   19o7 –
     Mary Baker   R
     M. v. d. Beck
     Katrin Keith

Bo54 BECKER, Rolly
      Franziska Becker   R

Bo55 BECKERS, Michael
      Miriam Greeders

Bo56 BECKMANN, Maria (geb. Nau)   1923 –
      Sibylle Schenck   R

Bo57 BEER, Fritz   1911 –
      Peter Alter   R

Bo58 BEER, Gustave   1888 –
      G. W. Wheatley   R

Bo59 BEER, Nathalie   19o3 – 1987
      Ursula Berngath   R

Bo6o BEETZ, Dieter   1939 –
      Dietmar Beetz   A/J/R

Bo61 BEHM, Wilhelm   1898 –
      Bill Behm   A/R
      Frank von Falkenberg

Bo62 BEHRENDT, Erwin   1908 –
      Christopher Nidden   R

Bo63 BEHRENS, Bertha von   185o – 1912
      Wilhelmine Heimburg   R

Bo64 BEHRENS-THYSELIUS, Thora   1911 –
      Thora Thyselius   R

Bo65 BEISSEL, Rudolf   1894 – 1986
      Frank Cornel   A/R
      F. B. Cortan
      Otto Otto

Bo66 BEKESSY, Janos   1911 – 1977
        Donald Deen   R/Sach
        Paul Fernwald
        Hans Habe
        Frank Richard
        John Richler
        Hans Wolfgang

Bo67 BELLMANN, Johann Diedrich   193o –
        Dieter Bellmann   R

Bo68 BELZ, Fred Gotthilf   19o5 –
        Michael Marbach   R

Bo69 BEMMANN, Hans   1922 –
        Hans Martinson   R/F/SF

Bo7o BEMME-WINGERT, Heinz
        Heiner Wingert   J

Bo71 BENDER, Erich F.
        Dr. Stefan Frank   R

Bo72 BENESCH, Irmfried   1912 – 1987
        Fridolin Aichner   J/R

Bo73 BENGSCH, Gerhard   1928 –
        Terenz Abt   R

Bo74 BENJAMIN, Arnold
        Arno Alexander

Bo75 BENTZ, Hans Georg   19o2 – 1968
        George Hilt   R

Bo76 BENTZIEN, Eva Maria   1947 –
        Eva Maria Kohl   J/R

Bo77 BRARD, Margot   1928 –
        Margot Kotté   R

30

Bo78 BERCKHAN, Ortrud
    Don Rivera   K

Bo79 BERENDT, Gerd   1915 –
    Klaus Bernhardt   J/R
    Eugen Fock
    Lanzelot Gobbo
    Jupp Heydecker
    Till Sebastian
    Eugen Trass

Bo8o BERG, Johannes M.
    Thor Goote

Bo81 BERGAUER, Conrad   1928 –
    Georg Auberger   R

Bo82 BERGEL, Hans   1925 –
    Curd Bregenz   R

Bo83 BERGER, Karl Heinz   1928 –
    K. Heinz   J/K/R
    Charles P. Henry

Bo84 BERGER, Margot
    Boris Langer   K

Bo85 BERGER, Otto   1922 –
    Roy Royan   A/R

Bo86 BERGER, Peter   1915 –
    Axel Frank   J/K
    Pitt Mount

Bo87 BERGFRIED, Ursula
    Ulla Bernardy   R

Bo88 BERGHAMMER, Susanne   1911 –
    Susy Greiner   J

Bo89 BERGK, Johann Adam
    Erasmus Wunder

Bo9o BERGMANN, Edith   1917 –
        Edith Müller-Beeck   J/R

Bo91 BERGNER, Karlherrmann   1922 –
        Karl Herrmann   J

Bo92 BERMANN, Richard A.
        Arnold Höllriegel

Bo93 BERNARD, Frits   192o –
        Victor Servatius   R

Bo94 BERNARD, Karl   19o2 –
        Peter Maria Paolo   R/SF
        Thomas R. Winter

Bo95 BERNDORFF, Hans-Rudolf   1895 –
        Rudolf van Werth   R

Bo96 BERNDT, Karl-Heinz   1923 –
        Lentz de Barrinkh   A/E/K/R/SF/W
        Kai Berg
        H. von Bern
        Berny Gubane
        Berndt Guben
        Carolus Heibe
        John Jersey (VP)
        J. J. van Johst
        John B. King
        Michel Pinscher
        Will Turek

Bo97 BERNITT-DREYER, Janna
        Jo Bert

Bo98 BERNS, Ulrich   1928 –
        Bodo Baumann   J/R

Bo99 BEROV, Lili   1936 –
        Liliana Bejanova   R

B1oo BERTHOLD, Will   1924 –
        Stefan Amberg   R
        P. M. Deusel
        Bert Franken
        Martin Moira

B1o1 BESSER, Christa   192o –
        Christa Burchardt   R

B1o2 BEST, Walter   1905 – 1984
        Sebastian Waldthausen   J/R

B1o3 BETHMANN, Horst   1922 –
        H. P. Dietrich   R

B1o4 BETZ, Josef   1906 –
        Elmar Boy-Linden   R

B1o5 BEUMELBURG, Werner   1899 – 1963
        McGorgo   R

B1o6 BEURET-AMMANN, Esther   1946 –
        Esther E. Ammann   R

B1o7 BEUTTENMÜLLER, Hermann
        Hermann Beutten   R

B1o8 BEYFUSS, Erika   19o1
        Erika Fries   R

B1o9 BICKEL, Alice   1925 – 1985
        Sandra King   J/R

B11o BIEGE, Karl Heinz
        Clyde Morris   SF

B111 BIEGER, Marcel   1954 –
        Kurt E. Seelmann   Sach/SF

B112 BIELICKE, Gerhard   1935 –
        Gerhard Kerfin   R

B113 BIENENGRÄBER, Alfred
    Alfred Siegwart

B114 BIERACH, Alfred   1924 –
    Dr. Richart Beste   R/W
    John Lockhart

B115 BIERBAUM, Otto Julius   1865 -191o
    Martin Möbius   R

B116 BIERMANN-RATJEN, Hans Harder   19o1 –
    Hans Harder Ratjen   R

B117 BIERSCHENCK, Burkhard Peter   195o –
    Peter Erfurt   R
    Burkhard Schenck

B118 BINDER-GASPER, Christiane   1935 –
    Christiane Gasparri   R

B119 BINGENHEIMER, Heinz   1922 – 1964
    Henry Bings   SF

B12o BIRNBAUM, Ernst   19o5 – 1986
    Ernst Baum   J
    Kater Murr

B121 BIRNER, Otto
    Frederick Nolan (SP)   W

B122 BIRON, Georg   1958 –
    Dino Silvestre   R

B123 BIRTI, Helene
    Helene Lahr

B124 BISCHOF, Heinz   1923 –
    Günther Imm   R

B125 BISCHOFF, Emil   19o2 –
    Emil Gurdan   R

B126 BISCHOFF, Karl Heinrich   1900 –
        Veit Bürkle   R

B127 BISCHOFF, Marianne (verh. Ehrig)   1944 –
        Garry McDunn   SF
        Chris Reiners
        Marianne Sydow

B128 BITZIUS, Albert   1797 -1854
        Jeremias Gotthelf   Ph/R

B129 BLANK, Matthias
        E. Berlepsch
        M. B. Birkenau
        Theo von Blankensee
        B. Brandeis
        E. M. Burg
        M. B. Hohenofen
        R. Walter
        M. v. Wessling

B130 BLANKMEISTER, Helmut   1911 – 1975
        Max Blamasla   R

B131 BLANVALET, Lothar   1910 –
        Heino Willberg

B132 BLASIUS, Richard   1885 –
        James Blake   A/R/W
        Ignotus
        Karl Richard

B133 BLESCHKE, Johanna
        Rahel Sanzara   R

B134 BLEY, Wulf   1890 –
        W. H. Hartwig   R

B135 BLOBEL-WAASEN, Brigitte   1942 –
        Brigitte Blobei   E/J/K/R
        Enid Blyton
        (nach dem Tod von E. B.)

B136 BLOCH, Susanne, (geb. Ehmcke)   1906 –
     Susanne Ehmcke   J

B137 BLÜCHER, Hubertus von   1924 –
     H. B. Corell   E

B138 BLÜCHER, Ruth von
     Liane von Hohenberg   R

B139 BLUM, Lilli (geb. Martini)   1890 – 1969
     Lilli Martini   J

B140 BLUME, Horst-M.   1922 –
     Torner Quist   R
     Michael Sylvester

B141 BLUMENFELD-MEYER, Olga   1889 –
     Olga Meyer   J

B142 BOCH-SCHLIMME, Edith
     Edith Carell   K

B143 BOCHSKANDL, Marcella
     Marcella d'Arle   J/R

B144 BODE, Walter   1904 –
     Paul Anders   R

B145 BODENSCHATZ, Herbert
     Bert Floormann (VP)   K

B146 BODENSTEDT, Hans   1887 –
     Hans Brennecke   R
     Jupp Six

B147 BÖCKEL, Josef Heinrich
     J. H. Barda   Ph/R

B148 BÖCKER, Hans Werner   1916 –
     Peter Arellano   J/R

36

B149 BÖCKL, Manfred
    Brian Elliot (VP)
    Fred Kinsale
    Jean de Laforet
    Frederick Nolan (SP)
    Jack Slade (VP)
    John P. Vanda
1948 –
H/K/SF/W

B15o BÖGERSHAUSEN, Karl-Heinz
    Cornelius Kempe
    Boris Vandrey
1925 –
R

B151 BÖHM, Albert
    Karl Emil Schwenk
1886 –
R

B152 BÖHMER, Gabriele Renate (geb. Bachem)
    Bele Bachem
1916 –
R

B153 BÖHM-RAFFAY, Helmut
    Heinz Brandtner
1922 –
R

B154 BÖLLING-MORITZ, Cordula
    Cordula Moritz
1919 –
R

B155 BÖMKE, Bernhard
    Jim Allison
    Rigos del Bernis
    Irmtraut Faber
    King Keene
    Larry Lash
    L. S. Ranger
    Tonny Stuart
    Dan Yelling
1921 –
R/W

B156 BOESCHE, Tilly
    Eve Jean
    Ilka Korff
    Eva Trojan
1928 –
J/R

B157 BÖSELAGER, Ada von   1905 –
      Gioconda Comitti   R
      Francesca Rega

B158 BOESS, Julie   1880 –
      Julie Kniese   J/R

B159 BÖTTCHER, Karl   1881 –
      Karl Hilbersdorf   R

B160 BÖTTICHER, Clarissa (geb. Lohde)
      Clarissa Lohde

B161 BOETTICHER, Hans   1883 – 1934
      Joachim Ringelnatz   R

B162 BOGEN, Alexander   1901 – 1969
      August Scholtis   R

B163 BOHLEN UND HALBACH, Berndt von   1905 – 1983
      Harry Anders   R
      Werner Hillig

B164 BOHLEN UND HALBACH-GRIGAT, Herthy von   1911 – 1985
      Harriet Anders   R
      Margarethe Lüerssen

B165 BOHLIEN, Guenther   1936 –
      Lionel Rubinin   R

B166 BOHLMANN, Anneliese
      Alf Jessen   R

B167 BOHNE, Josefine   1898 –
      Josefine Richter   J/R
      Milla Tannweber

B168 BOLAY, Karl-Heinz   1914 –
      Ugo da Byola   R
      Sven Svensson

B169 BONDY, Fritz   1888 – 198o
      N. O. Scarpi   R/Ü

B17o BONGARTZ, Heinz   1916 –
      Jürgen Thorwald   K/R/Sach

B171 BONITZ, Clementine   1889 –
      Grete Minde-Bonitz   R

B172 BORCHARDT, Georg Hermann   1871 – 1943
      Georg Hermann   R

B173 BORCHERS, Karl   1896 –
      Charles Borgers   R

B174 BORNGRÄBER, Gertrud
      Gerda von Robertus

B175 BORNSTROEM-RUNDÉ, Uwe   1929 –
      Gina Bergen   R
      Sven Detlev Christiani
      Carrol Mortimer
      Helge Sylvester
      Andrea Thomas

B176 BORRMANN, Martin   1895 – 1974
      Matthias Born   R

B177 BOSETZKY, Horst   1938 –
      John Drake (VP)   K
      –ky
      –ky & Co (mit Peter Heinrich)

B178 BOSKAMP, Paul   1871 –
      Friedrich Kamp   R
      A. L. Mansor

B179 BOSSI FEDRIGOTTI VON OCHSENFELD, Anton   19o1 – 1991
      Toni Herbstenburger   J/R

B18o BOTHE-PELZER, Heinz   1919 –
      Henry Morrison   R

B181 BOTSCH, Charlotte   1892 –
     Lotte Schalles   R

B182 BOURG, Werner van der   192o –
     René Duvart   R

B183 BOUTERWECK, Olaf   1895 – 1962
     Horst Emscher   K/R/SF

B184 BRACK, Walter   19o2 –
     Stephen Hay   K/W

B185 BRAEM, Elisabeth M.   1925 –
     Elisabeth M. Kaiser   R

B186 BRÄNDLE, Alexander   1923 –
     B. Alec Brand   A/J/SF

B187 BRAKENHOFF, Margarethe   19o2 – 1973
     Hagdis Hollriede   J

B188 BRAND, Kurt   1917 –
     Buster Brack   H/K/R/SF/W
     Buster Braek
     Jerry Cotton (VP)
     Conny Cuba
     Garry Jack
     H. S. Kingston
     Robert Lamont (VP)
     Frank de Lorca (VP)
     T. W. Marks
     Philipp Mortimer
     Cherry Moss
     C. R. Munro
     I. S. Osten (SP)
     Pit Peters (VP)
     Lex Porter (VP)
     John Rifle
     Ted Scout
     Clark Spencer
     Peter L. Starne
     Hanno Tarr

40

Lars Torsten
Kay Turk
János Véreb

B189 BRANDECKER, Walter G.
    H. Schweizer   R

B19o BRANDENBERGER, Anne   1926 –
    Johanna Bradun   R

B191 BRANDENSTEIN, Ruth von (geb. v. Ostau)   1899 –
    Ruth von Ostau   R

B192 BRANDHORST, Andreas   1956 –
    Horst Brand   H/SF
    Robert Lamont (VP)
    Thomas Lockwood
    Andreas Weiler
    Andreas Werning

B193 BRANDT, Irmengard von
    Sissy Hall   R

B194 BRANDT, Paul Martin   1893 – 1969
    P. M. Right   J/K/R

B195 BRANOWITZER-RODLER, Maria   19oo –
    Maria von Sonnhof   J/R

B196 BRAUN, Fernando Max Richard   1895 –
    Frank F. Braun   K/R
    Frank Genser

B197 BRAUN, Hanns Maria   191o – 1979
    Johann Gottlieb Dietrich   R

B198 BRAUN, Hans
    Fritz Steinemann

B199 BRAUN, Reinhold   1921 –
    Adam Ruf   R

B2oo BRAUNE, Joachim   192o –
   Joachim Rasmus-Braune   J/R

B2o1 BRAUNS-LEUTZ, Ilse   1896 – 1982
   J. L. Harrison
   Ilse Leutz
   Christiane Thyrow

B2o2 BREHM, Doris   1908 –
   Doris Diez   R

B2o3 BREHM, Wilhelm Johann   1896 –
   Wilhelm von Tarnowitz   R

B2o4 BREHMER, Arthur   1858 – 1923
   Charles Blunt   SF

B2o5 BREITBACH, Joseph   1903 – 198o
   Jean-Charlot Saleck   R

B2o6 BREITENEICHNER, Hans   1913 – 1973
   Hans I. Brandin   J/R

B2o7 BRENNECKE, Jochen   1913 –
   Jens Janssen   R
   Jens Jensen
   E. G. Lass

B2o8 BRENNEISEN, Wolfgang   1941 –
   Konrad Salik   R

B2o9 BRENNER, Hans Georg   1903 –
   Reinhold Th. Grabe   R

B21o BRESLAUER, Hans Karl   1888 – 1965
   James O'Cleaner   R
   Jenny Romberg
   Bastian Schneider

B211 BREUCKER, Oscar Herbert   19o8 –
    Arizona-Tiger   A/K/SF/W
    Frank Astor
    Axel Bluco
    Capt. Old Chitterwick
    Hein Class
    Cliff Clure
    Clifford Clure
    Tex Connor
    Cliff Cure
    Dennis Dux
    Joe Ferrer
    Ralph Garby
    Ray Hale
    Ronny Hardon
    Tom Hunter
    Bert F. Island (VP)
    Eric Morand
    Unus Nobody
    Mike Randell
    John Taggert
    Harry Webster
    Frank Wolter
    Burt Yester
    Udo Ypsen

B212 BREUER, Georg Karl Felix   1899 –
    Jürgen Borst   J/R
    Jörg Breuer

B213 BRIE, Alfred
    A. Maxime

B214 BRIK, Johannes   1899 – 1982
    Hans Theodor Brik   J/SF

B215 BRINKMANN, Jürgen   1934 –
    Paul Evertier   R/SF
    Arne Sjöberg

B216 BRINKMANN, Karl Hermann   1895 –
    Christian Holle   R

B217 BRINKMEIER, Hannelore   1927 –
     Annelore Blank   R

B218 BRIOD, Betty (geb. Eymann)   1895 – 1955
     Monique Saint-Hélier   R

B219 BROCHASKA, Bruno
     Bruno Wolfgang   R

B22o BROCK, Rudolf   1916 – 1982
     Peter Brock   J/R
     Peter Korb

B221 BROCKDORFF, Gertrud von   1893 –
     Gertrud Stendal   R

B222 BRÖLL, Wolfgang W.   1913 –
     William Burns   A/J/K/SF
     Peter Wolick

B223 BROMMUND, Christoph   1942 –
     Chris Brohm   J

B224 BRONNEN, Arnolt
     A. H. Schelle-Noetzel

B225 BRONNER, Ferdinand   1867 – 1944
     Franz Adamus   R

B226 BRORS, Franz   1885 –
     Franz Evertz   R

B227 BROZA-TALKE, Helga   1936 –
     Helga Talke   J

B228 BRUDER, Herta   1921 –
     Natalie Anthes   R

B229 BRÜCKNER, Eleonore   19o5 –
     Eleonore von Bernfeld   R
     Eleonore Roneck

B23o BRÜCKNER, Marie   1913 –
    Eva Brandt   J/R
    Marie Lacombe

B231 BRÜGGEN, Vendla von der   1903 –
    Vendla von Langenn   R

B232 BRÜGMANN, Karl   1908 –
    Carl Johann Heinrich   R

B233 BRÜGMANN-EBERHARDT, Lotte   1921 –
    Lotte Droste   J/R
    Lotte Eberhardt

B234 BRUN, Marcel   1928 –
    Jean Villain   R

B235 BRUNS, Frank
    Francis Brown   H

B236 BRUSTAT-NAVAL, Fritz
    Frederik Naval   J/R
    Jack Tar

B237 BRUSTOWIECKI, Motek   1906 –
    Max Brusto   R

B238 BUBECK, Heinrich   1894 –
    Lux Bümperli   R

B239 BUBER, Paula (geb. Winkler)   1877 – 1958
    Georg Munk   R

B24o BUEHLER, Eugen Karl
    Jak Colter

B241 BÜHNEMANN, Hermann   1901 –
    Wilfried Rufer   J

B242 BÜLAU, J. v.
    Joachim von Bülow

B243 BÜLOW, Vicco von 1923 –
    Loriot R

B244 BÜNDGEN, Franz-Rudolf
    Thomas Cyborg SF

B245 BÜNTE, Annemarie 1919 –
    Annemarie Wietig J

B246 BÜRKI, Peter 1915 –
    Peter Bandi R

B247 BÜRKLE, Rolf A.
    John Cameron (VP) K
    Jerry Cotton (VP)
    Kojak

B248 BULL, Bruno Horst 1933 –
    Roland Barry J

B249 BULTMANN, Klaus
    K. U. Hansen (mit Wolfgang Kehl) SF

B25o BURCHARDT, Julius 1895 –
    Julius Bardt R

B251 BURESCH, Wolfgang 1941 –
    Wolf Orloff J

B252 BURGDORF, Karl-Ulrich 1952 –
    C. T. Bauer F/H/SF/Ü
    Robert Craven (PP)
    (mit W. E. Hohlbein)
    Arl Duncan
    Martin Hollburg (SP,mit W.E.Hohlbein)
    Harald Münzer
    Andreas Weiler (mit A. Brandhorst)
    Henry Wolf (PP,auch mit W.E.Hohlbein)

B253 BURGMAIER, Albert 1902 –
    Jakob Altenberger Ph

B254 BURKHARDT, Otto Bruno
     Freddy Weller (VP)

B255 BURMESTER, Albert Konrad	19o8 – 1974
Geo Barring	SF/W
Axel Berger	
Hanns Lander	
Alex Reberg	
B256 BURRMEISTER, Gertrud	19o9 –
Gerty-Charlotte Burmeister	R
B257 BUSCH, Fritz Otto	189o –
Peter Cornelissen	R/Sach
B258 BUSCH, Gertraude	1927 –
Monika Busch	J
B259 BUSCH, Marta	19o9 – 1965
Marta Folkerts	R
B26o BUSSENIUS, Ruth	192o –
Ruth Kraft	J/R
B261 BUTENSCHÖN, Helene	1874 – 1957
Fr. Lehne	R
B262 BUWERT, Harald	1946 –
Thorn Forrester (SP)	SF

Coo1 CAMENZIND, Josef Maria   19o4 -1984
      Rigisepp   R

Coo2 CAMPULKA, Walter   193o –
      Walter Aue   R

Coo3 CAP, Friedl(inde)   1924 –
      David Chippers   F/SF
      Alexander Robé

Coo4 CAPESIUS, Bernhard   1889 – 1981
      Karl Bernhard   R

Coo5 CARL-MARDORF, Wilhelm   189o –
      Wilhelm Buschklepper   R

Coo6 CARROLL, Carla-Elisabeth   19o6 –
      C. E. von Schenckendorff   R

Coo7 CARSJENS, Gerhard   19o6 –
      C. Presto   K/W

Coo8 CASSAU, Carl
      Carl Adelsberg
      Carl Burg
      C. Carl
      C. Carrés
      Carl von Falkenburg
      Carl von Ilmenau
      G. v. Wolfshagen

Coo9 CASTELL, Luise zu   1911 – 1985
      Luise Ullrich   R

Co1o CASTELLE, Friedrich   1879 –
      Hans Dietmer   R

Co11 CASTELLI, Ignaz Franz   1781 – 1862
      Bruder Fatalis   R
      Kosmas
      Rosenfeld
      C. A. Stille

Co12 CECH, Adele   1931 –
    Adele Holden   R

Co13 CHEVALLIER, Sonja   1946 –
    Sonja Lasserre   R

Co14 CHOLLET, Hans-Joachim   1933 –
    Hans-Joachim Wolter   J

Co15 CHURS, Günter H.
    Diana Traven   R

Co16 CINAR-MECK, Barbara
    Barbara Meck   SF

Co17 CLAUSS, Ludwig Ferdinand   1892 – 1974
    Götz Brandeck   R

Co18 COHN, Else
    Eva Lotting   R

Co19 COHN, Otto Justinus   1839 -1893
    Otto Justinus   R

Co2o COLLIGNON, Ilse   1913 –
    Marguerite Arcol   R
    Illa Rémy

Co21 COLLIGNON, Jetta   1923 –
    Julia von Brencken   R
    Britta Rentzow
    Jetta Sachs

Co22 CONRADS, Dietrich   1924 –
    Mark Perlach   R

Co23 CONRING, Friedrich von   1873 – 1965
    Justus Georg   R

Co24 CORDES, Heinrich   19o9 –
    Christian Fasold   R

Co25 CORDTS, Georg u.Renate   1927 -/1935 –
    Georg R. Kristan   K

Co26 CORRODI-HORBER, Margrit   191o –
    Marga Markwalder   R

Co27 CORTE, Wilhelm
    Theodor Oskar

Co28 COURTHS-MAHLER, Hedwig   1867 – 195o
    Hedwig Relham   R

Co29 CSALLNER, Alfred   1895 –
    Friedrich Nösner   J/R

Co3o CUBE, Alexander von
    Michael Domin   R

Co31 CUNTZ, Dieter
    Stefan Brockhoff   K
    (mit Richard Plant u.Oskar Seidlin)

Co32 CWOJDZINSKA, Selma   1888 –
    Billa Schroedter   R
    Oktavia Wessel

Co33 CZECH-JOCHBERG, Erich
    Ernst Clam

Co34 CZELL, Carl   19o6 – 1979
    Carl Merz   R

Co35 CZERNIK, Theodor   1929 –
    Heinrich Feld   J/K

Co36 CZERWENKA, Rudi   1927 –
    Rudolf Wenk   J

Co37 CZIFFRA, Geza von   19oo – 1989
      Richard Anden   K/R
      Albert Anthony
      Fritz Pirat
      Peter Trenck

Doo1 DAHL, Jürgen   1929 –
  Jan Hatje   J

Doo2 DAMIAN, Franz   1895 – 1976
  Hans Garner   R

Doo3 DANNENBERGER, Hermann   1893 – 1954
  Erik Reger   R

Doo4 DARBOVEN, Anna-Maria   1882 –
  Johannes Wagner   R

Doo5 DARNSTÄDT, Helge
  Christel Burg   J
  Sabine Hagen
  Kathrin Thomas

Doo6 DASCHKOWSKI, Otto   1922 –
  Peter Naundorf   J/R

Doo7 DAUM, Fritz
  F. D. Ortwig
  Fr. D. Ortwig Ramin

Doo8 DAUMANN, Rudolf Heinrich   1896 – 1957
  Rudolf Hard   A/J/R/SF

Doo9 DECKER, Andreas   1958 –
  Robert Lamont (mit W. K. Giesa)   H

Do1o DECKER, Carl
  Dennis Lynds

Do11 DECKER, Heinz-Bruno   19o7 –
  Bruno Deck   A/K/R
  Heinz-Bruno Hart
  Heinz Krafft

Do12 DECKER-VOIGT, Hans-Helmut   1944 –
  Jörg Morgen   R
  Jürgen Morgen

52

Do13 DEDENROTH, Eugen Herrmann von   1829 – 1887
        Eugen Herrmann   R
        Ernst Pitawall
        R. Wendelin

Do14 DEGLMANN, Erica
        Erica Schwarz   J/R

Do15 DEGNER, Helmut   1929 –
        Helmut Anders   R

Do16 DEHMEL, Karl Julius   1803 – 1828
        J. Albini   Ph
        Dorismund

Do17 DEINET, Margarethe   1893 –
        M. Haller   J

Do18 DELFS, Rainer   1941 –
        John Benteen (VP)   A/H/K/W
        Michael Brennan
        Matt Brown
        John Roscoe Craig
        Chad Donovan
        Jack Donovan
        Raymond Hart
        John Kirby (VP)
        Jean Lafitte (VP)
        Lee Martin
        Benito Martinez (VP)
        John Miles
        Florian Philipp
        Frank Philipp
        Sam Rossiter
        Jack Slade (VP)

Do19 DEMBSKI, Werner   1930 –
        Bernd Diksen   K

Do2o DENNEBORG, Silvia (geb. Gut)   1922 –
        Silvia Gut   J

Do21 DEPPE, Hetty   1921 –
    Hetty Langhardt   J

Do22 DEPTA, Siegmund   1928 –
    Heinrich Siegmund   R

Do23 DERFÖLDY-LUX, Wilhelm   1893 –
    Harry Lux   R

Do24 DESSAUER, Friedrich   1881 – 1963
    Jakob Stab   R

Do25 DETLEFSEN, Thea   19o7 –
    Thea Sommerer   R

Do26 DETTMANN, Hans Eduard   1891 – 1969
    Edward Dann

Do27 DEXHEIMER, Ludwig   1891 –
    Ri Tokko   SF

Do28 DEZORT, Mirek
    Mik Ort   SF

Do29 DIAMANT, Gertrud   1897 –
    Gert Dahlmann   R

Do3o DICHTL, Ruth (geb. von Mayenburg)   19o7 –
    Ruth Fischer   R
    Ruth von Mayenburg
    Modesta
    Ruth Wieden

Do31 DICKINSON-WILDBERG, Heino von   1862 – 1942
    Bodo Wildberg   A/Ph

Do32 DICKMANN, Ernst Günter   1911 –
    Norman Dyck   R

Do33 DICKSCHAT, Otto   1911 –
    Steffen Kamp   R

54

Do34 DIEDRICH, Klaus 1951 –
    Tom Askon SF
    H. P. Howard
    (mit Ronald M.Hahn u. Horst Pukallus)

Do35 DIEDRICHS, Edmund
    Jerry Cotton (VP) K

Do36 DIEHN, Rosmarie 1926 –
    Rosmarie Rutte-Diehn J

Do37 DIENER, Bertha (verh. Eckstein)
    Sir Galahad

Do38 DIERKES, Rudolf 1928 –
    Rolf Kess K/R
    Ed Meyer

Do39 DIETL, Franz
    Noe Secundus

Do4o DIETRICH, Karl A.
    Fred G. Jerome

Do41 DIETSCH, Arthur
    José Zorro

Do42 DIETSCH, Werner 1928 –
    Tom Frisco (VP) A/R/W
    Petra Höfer
    Ullrich Kallmer
    Max Marek
    Glenn Stirling

Do43 DIETZ, Gertrud (verh. Dorn) 1912 –
    Gertrud Fussenegger R

Do44 DILLENBURGER, Elmy 1921 –
    Elmy Lang J/R

Do45 DILLENBURGER, Ingeborg von Groll 1925 –
    Karla Brugger J

Do46 DINGLER, Max
    N. M. Ilgerd

Do47 DITTMARSCH, Karl   1819 – 1893
    F. Menk   Ph

Do48 DITZEN, Rudolf   1893 – 1947
    Hans Fallada   R

Do49 DÖBLER, Hansferdinand   1919 –
    Peter Baraban   R

Do5o DÖBLIN, Alfred   1878 – 1957
    Linke Poot   R

Do51 DOEHMEL, Friedrich
    Conrad Lee

Do52 DOEHNEL, Karl Friedrich
    D. Kilian Zebedaeus Spitznagel

Do53 DÖHRING, Karl Siegfried
    Hans Herdegen   R/Ü
    Ravi Ravendro

Do54 DOELLERDT, Artur   19o5 –
    Sven Steenberg   R

Do55 DÖNGES, Günter   1923 –
    John D. Acton   H/K/R/W
    Mike B. Braster
    Jeff Briester (VP)
    Gay D. Carson
    Dan Cillingh
    Conny Collins
    Jeff Conter (VP)
    Jerry Cotton (VP)
    Richard W. Drilling
    Mac Driving
    Mickey Gillane
    Chester Gobinal
    Rolf van Kessel

Jerry Landing
Glenn Larring
Jerry Lonsdale
Henri de Vallon
Julia Wendt
Pat Wilding (VP)

Do56 DÖRNER, Claus S.   1913 –
    Silvester Maxwell   K/R
    Claus Silvester

Do57 DÖRNER, Ilse Sibylle   195o –
    Andrea Jakob   R

Do58 DOERRSCHUCK, Hubert   191o –
    Amadeus Siebenpunkt   R

Do59 DOLEZAL, Erich   19o2 –
    Erik Lindenau   SF

Do6o DOLL, Hannelore   1925 –
    Leonie Dong   R

Do61 DOLL, Herbert Gerhard   1921 – 1985
    Jean Pierrot Comment   R
    Ehm Dallmann
    Herbert G. Hegedo
    Gerd Sahdas
    Caspar Stichling
    Matthias Weikersheim

Do62 DOMBROWSKI, Theodor
    Boris Cormac   H/SF/W
    Everett Jones (VP)
    Frank de Lorca (VP)
    Marcos Mongo (VP)
    Jack Read
    Arno Skinner

Do63 DONNY, Julius   1878 – 1958
    Fritz Dahl   R

Do64 DOORNICK, Fritzheinz van
   Otto Kühn (SP)   Ü

Do65 DORFMEISTER, Gregor   1929 –
   Manfred Gregor   R

Do66 DOROSLOVAC, Milutin   1923 –
   Milo Dor   R
   Fedor (mit Reinhard Federmann)

Do67 DORTENWALD, Rudolf   19o5 –
   Michael Roth   R
   Jack Rudor

Do68 DOTZLER, Ursula
   Ursula Isbel   J/R

Do69 DRABER, Uwe
   Mel Woodward   R

Do7o DREETZ, Joachim   19o3 – 1977
   Kurt Herwarth Ball   SF

Do71 DRESCHER, Walter   1912 –
   Stefan W. Escher   R

Do72 DRESSLER, Hermann
   R. Corth

Do73 DRESSLER, Johannes   1913 –
   Jo Hans Helion   R

Do74 DREYSE, Nikolaus v.
   Wilhelm Franz   K

Do75 DREYSEL, Dore   19o4 –
   Eva Hellring   R
   Liane Holst

Do76 DRIGALSKI, Elisabeth von   1872 – 1962
   Liesbet Dill

Do77 DRILHON-VON ARX, Katharina   1928 –
      Edith Katharina von Arx   J/R

Do78 DRIPKE, Karl-Hans   1926 –
      Werner Jürgen Korff   R

Do79 DUBINA, Peter   1940 – 1990
      Peter Burnett (VP)   J/SF/W
      Wayne Coover (VP)
      Pete Derringer
      Peter Dörner
      R. F. Garner
      John Kirby (VP)
      Matt Nichols (VP)
      A. F. Peters jun. (SP)
      Steve Siegel (VP)

Do8o DÜNKELSBÜHLER, Elisabeth   1896 – 1976
      Elisabeth Schaible   R

Do81 DÜNKY-SCHLAGETER, Johanna   1917 –
      Jeanne Schlageter   J

Do82 DUENSING, Jürgen   1941 –
      Vivian Baker   A/H/R/SF/W
      John Blood
      Terence Brown
      Frank Callahan
      John Cimarron
      J. C. Dwynn
      Robert Lamont (VP)
      Benito Martinez (VP)
      Charles McKay (VP)
      Marcos Mongo (VP)
      Frederick Nolan (SP)
      Dan Shocker (PP)
      Jack Slade (VP)

Do83 DÜRR, Edeltraut
      Steffi Berner   R

Do84 DÜRSELEN, Helga
    Helga Braun   R/SF

Do85 DUFOUR, Louis   1895 – 1983
    Ulf Uweson   J/R

Do86 DUSCHEK, Johann
    J. D. Kornfelder   K

Do87 DUYSEN, Paul   1896 – 1966
    Tyll Uller   R

Eoo1 EBEL, Willi
        Ernst Rohden   K/R
        Dieter Uhlenbruck

Eoo2 EBLÉ, Thea   1918 –
        Thea Torsten   J

Eoo3 ECKE, Felix   1924 –
        Ralph Wiener   R

Eoo4 ECKERT, Herbert   1892 –
        Peter Eckart   R

Eoo5 ECKERT, Horst   1931 –
        Janosch   J/R

Eoo6 ECKHARDT, Rosemarie
        Marianne Hardeck   R

Eoo7 EDON, Margret Riccarda   19o6 –
        Riccarda Raé   R

Eoo8 EGER, Rudolf   1895 – 1965
        Rudolf Hochglend   R
        Georg Rudolph

Eoo9 EGETEMEYR, Peter   1896 –
        Peter Frohland   R

Eo1o EGGELKRAUT- GOTTANKA, Hans von   1915 –
        Hans Gottanka   J/R

Eo11 EGGERT, Reinhart
        E. W. A. Reinhart

Eo12 EGGERT, Vera   19o7 –
        Vera von Grimm   J/R

Eo13 EGLI, Werner J.   1943 –
     Alex Barclay   J/K/W
     Walter J. Cobb
     Robert S. Field (PP)
     Lee Roy Jordan
     Harper Pratt
     Robert Ullman (PP)

Eo14 EHLERS, Edith   1o5 – 1964
     Edith Mikeleitis   R
     Edzar Schumann

Eo15 EHRENFREUD, Edmund Otto
     U. Tartaruga   K

Eo16 EHRHARDT, Paul Georg   1889 – 1961
     Janus   R/SF

Eo17 EHRLICH, Leopold   1877 –
     Leopold Hichler   R

Eo18 EICHEN, Heinrich   1o5 – 1986
     Heinz Birken   J/R

Eo19 EICHENDORFF, Joseph von   1788 – 1857
     Florens   R

Eo2o EICHHOF, Joachim
     Traudl Anrainer   R
     Martina Eichenhof
     Ina von Hochried
     Lore von Holten

Eo21 EICHHORN, Josy   1935 –
     J. Graf   R
     J. Walder

Eo22 EICHLER, Bertel   1921 –
     Linda Berger   R

Eo23 EIGENBRODT, Carl Christian
     Gustav Eichenhorst

Eo24 EIKERMANN, Helmut   1940 –
     Jan Eik   K/R

Eo25 EILERS, Konrad   1871 –
     Roland Riesek   R

Eo26 EINEM, Charlotte von   1930 –
     Lotte Ingrisch   R
     Tessa Tüvari

Eo27 EINSIEDEL, Waltraud Irmgard von (geb. Goltz)1927 –
     Barbara Rütting   J/R/Sach

Eo28 EINSLE, Hans   1914 –
     Hans Koenigswaldt   R

Eo29 EIPELDAUER, Gertrude   1910 –
     Gerth Faller

Eo3o EISELE, Martin   1954 –
     Mareike Berger   A/H/J/K/R/SF/Ü
     Mike Burger
     Roger Damon (mit R. Rosenbauer) (SP)
     Jason Dark (PP)
     Ryder Delgado (PP)*
     Martin Hollburg (SP, auch mit W. E. Hohlbein)
     Mike Shadow (VP)
     Claudia Torwegge

Eo31 EISENKOLB, Gerhard   1945 –
     G. E.   J/K/R
     Knut Krause

Eo32 EISENPROBST, Ferdinand   1895 – 1972
     Oktavian Carlsbourgh   R
     F. Federli
     J. Schneider

Eo33 EISFELD, Rainer   1941 –
     Robert W. Eiben   Ü
     Armin von Eichenberg (SP)
     Otto Kühn (SP)

Eo34 EISLER, Egon   191o –
    Egon Eis   K/Sach

Eo35 EITZERT, Rosemarie   1939 –
    Tina Caspari   J
    Claudia Jonas

Eo36 ELBOGEN, Paul   1894 –
    Paulus Schotte   K/R

Eo37 ELBWART, Wilm   19o4 –
    Wolf von Etzsch   R

Eo38 ELLERMANN, Rolf   1912 –
    Ernst Otto Wiwjorra   R

Eo39 ELLINGER, August   19o4 –
    Holger Holms   R
    Charles Roy Earl of Terbiggers-Ellinger

Eo4o ELLINGER, Ingeburg   1926 –
    Maria-Magdalena Lind   J/R
    Thora-Ellen Quen

Eo41 ELMAYER-VESTENBRUGG, Rudolf von   1881 – 197o
    Elmar Brugg   R

Eo42 ELSCHNER, Käte   1899 –
    Käte Brandel-Elschner   R

Eo43 ELTZ, Lieselotte von (geb. Hoffmann)   1921 –
    Lieselotte Hoffmann   R

Eo44 ELWENSPOEK, Curt   1884 – 1959
    Christoph Erik Ganter   R

Eo45 ELWENSPOEK, Lise-Melanie   1914 –
    Monika Brack   J

Eo46 ELZER, Margarete   1889 – 1966
      Hanna Dueren   R

Eo47 EMMERICH, Curt   1897 -1975
      Peter Bamm   R

Eo48 EMMERICH, Joseph Friedrich
      Lucian Weber

Eo49 EMRICH, Ludwig Friedrich
      Louis Emrich

Eo5o ENDERWITZ-BINDSEIL, Ilse   1945 –
      Ilse Bindseil   R

Eo51 ENGEL, Bernd   19o2 –
      Maximilian Bernd   Ph

Eo52 ENGEL, Elmar   1933 –
      Jupp Holbach   R

Eo53 ENGEL, Paul   19o7 –
      Diego Viga   R

Eo54 ENGEL, Sabine von   19o5 –
      Angela von Britzen   R

Eo55 ENGELKES, Gustav G.   19o5 –
      Ulrich Schipper   J/R

Eo56 ENGELSBERGER, Berta u. Josef
      Roland Berry   K
      Fred Martens

Eo57 ENGEN, Erika   1928 –
      Erika Berghöfer

Eo58 ENGLÄNDER, Richard   1859 – 1919
      Peter Altenberg   R

Eo59 ENSKAT, Fritz   1898 – 1971
      Freder Catsen   J/R

Eo6o EPP DE HARY, Eleonore   19o9 –
      Jovita Epp   R

Eo61 EPPERS, Eva
      Eva Christoff   F/SF
      Robert Quint (mit W. K. Giesa u. R. Zubeil)

Eo62 ERB, Ute   194o –
      Ute Schürrer   R

Eo63 ERDMANN, Franz   1898 – 1963
      Frank Marner   A/R

Eo64 ERDMANNSDORFFER, Friedrich   188o – 1962
      Friedrich Laurin   R

Eo65 ERICHSEN, Uwe   1936 –
      Gerald Bendix   A/H/K/W
      John Benteen (VP)
      Jerry Cotton (VP)
      Gil Hammond
      Thomas Jago
      Jean Lafitte (VP)
      Steve McCoy
      Andrew McKay
      Jim Sheridan
      Jack Slade (VP)
      Franco Solo (VP)

Eo66 ERLEI, Hans Josef   194o –
      David Erlay   R

Eo67 ERNÉ, Giovanni Bruno   1921 –
      Nino Erné   R

Eo68 ERNSTING, Walter   192o –
      Robert Artner (mit Ulf Miehe)   SF/Ü/W
      Tom Chester (VP)
      Clarkus I.
      Clark Darlton
      Armin von Eichenberg (SP)
      Frank Haller

Fred McPatterson
Alois Stirnagel
Munro R. Upton (mit W.Kumming, Walter Reinecke, Winfried
Scholz und Jürgen vom Scheidt)

Eo69 ERPENBECK-ZINNER, Hedda   19o5 –
      Hedda Zinner   R

Eo7o ERTL, Anneliese
      Sabine Behringer   R

Eo71 ERTTMANN, Paul Oskar   – 1944
      Margaret Dollinger
      Karl Dwen
      Hans Munin
      Billy Perkins
      Paul Pitt
      Klaus Temborn

Eo72 ESCHBACH, Josef   1916 –
      Brigitte Delheid   J/R
      Monika Heuschen
      Anneliese Schwarzer
      Helga York

Eo73 ESCHKÖTTER, Marlene
      Bianca-Maria   R
      Susan Grant

Eo74 ESCHNER, Lena
      Ferry Rocker (mit E. Worm)   K

Eo75 ESCHSTRUTH, Mathilde von
      M. von der Eichen
      M. v. Eschen

Eo76 ESCHSTRUTH, Nataly von
      Nataly von Knobelsdorff-Brenkenhoff

Eo77 ESSL, Herbert
      Mark Fenton-Bricks   K
      Jochen Seel

Eo78 ETTIGHOFER, Paul Coelestin	1896 – 1975
F. Löhr von Wachendorf	R
Eo79 ETTLE, Josef	1941 –
Hubertus Birkler	R
Eo8o EULER, Günter	1931 –
Kall Blattmächer	R
Eo81 EVERWIEN, Max	
Mac Ever	K
Eo82 EWERS, Hanns Heinz	1871 – 1943
Onkel Franz	Ph/R

Foo1 FACKENHEIM, Paul Ernst
      Jerry Cotton (VP)   K
      Paul Ernest

Foo2 FADEL, Suheil   1946 –
      Rafik Schami   J/R

Foo3 FAEHNDRICH, Margarita   1900 – 1971
      Angela von Kiesling   R

Foo4 FÄRBER, Otto   1892 –
      Otto Ferling   R

Foo5 FÄRBER, Sigfrid   1910 –
      Konrad Korntheur   J/R

Foo6 FALK, Hermann   1901 – 1981
      Erik Allan Bird   A/J/K/R/W
      William O. Cassy
      Frank Dalton
      Orge Eyll
      Elisabeth Falk
      Dan Kennan
      Wera Orloff
      Glenn Patton (VP)
      Peter Schwarze
      Henry O. Scott
      Sam Turrek
      Heinz Volker

Foo7 FALKENHEYN, Egon
      Constantin Redzich

Foo8 FANGK, Dorothea   1923 –
      Dorothee Siebenbrodt   J/R

Foo9 FANGMEIER, Norbert   1948 –
      Alf Metler

Fo1o FECHNER, Gustav Theodor
      Dr. Mises

Fo11 FECHTNER, Wolfgang
      Jean Baptist   E/K/R
      Jerry Cotton (VP)
      Maximilian Döbling
      Dr. Stefan Frank (VP)
      Dr. Stefan Holl (VP)
      Wolfgang Kolberg
      Rodolfo Rocco
      Robert Shannon

Fo12 FEDDERSEN, Johannes   1905 –
      Louis Vetter   K

Fo13 FEDERLE, Elisabeth   1911 –
      Irene Waldner   J

Fo14 FEDERMANN, Reinhard   1923 – 1976
      Fedor (mit Milutin Doroslovac)   R

Fo15 FEHRENBACH, Anneliese (geb. Fey) 1926 –
      Anneliese Fey   R

Fo16 FEIGE, Hermann Albert O. M.   1882 – 1969
      Ret Marut   R
      B. Traven

Fo17 FEIGEL, Hans-Dieter   1936 –
      Hans Rothen   J

Fo18 FEIL, Georg   1943 –
      Steffen Kent   A/J/K
      Christoffer Knock

Fo19 FELDTMANN, Harro   1917 –
      Robert H. F. Free   R

Fo2o FELKL, Gertraud   1921 –
      Gertrud von Hilgendorff   R

Fo21 FELLER, Hans   – 1974
      Ray Cardwell (mit Hubert Straßl) F

Fo22 FELLMANN, Maria   1896 –
        Friedrich M. Fellmann   J/R

Fo23 FELSINGER, Edwin   1921 –
        Erwin Felsmann   K/R

Fo24 FENTSCH-WERY, Erna
        Ernestine Wery   K/R

Fo25 FERRARI, Gustav   1922 –
        Stefan Eisner   R

Eo26 FERVERS, Louise
        Luisa Ferber   K

Fo27 FEUCHTWANGER, Lion   1884 – 1958
        J. L. Wetcheck   R

Fo28 FEURSTEIN, Käte   1912 –
        Käte von Roeder-Gnadeberg   J

Fo29 FIEBRANDT, H.
        Herbert Paatz

Fo3o FIEDLER, Aribert   1889 – 1967
        Bert W. Rell   K/R

Fo31 FIELITZ, Hans Paul   1928 –
        Andreas Grosse   R
        Ulrich Mechler
        Werner Noack

Fo32 FIENHOLD, Wolfgang   195o –
        F. Radebrecht   K/R/SF

Fo33 FIGGE, Michael
        John Johnson   W

Fo34 FILEK-WITTINGHAUSEN, Werner von   1934 –
        Arty Wittinghausen   R

Fo35 FINALY, Dorothea (geb. Dolezal)   1914 –
    Dora Thaler   J/R

Fo36 FISCHACH-FABEL, Renate   1939 –
    Renate Fabel   R

Fo37 FISCHER, Claus   1951 –
    Christopher Barr (mit H. Gamber)   A/J/K/R/Sach/W
    James Barry
    Mark Cramer
    Cornelius Fischer
    King Fisher
    Everett Jones (VP)
    Jean Lafitte (VP)
    Bodo Reich
    Franco Solo (VP)

Fo38 FISCHER, Else   19o3 –
    Alfred Faber   R

Fo39 FISCHER, Hugo Wilhelm   1894 –
    William Fisher   R

Fo4o FISCHER, Ilse (geb. Reitböck)   1922 –
    Elisabeth Fischer   R
    Elisabeth Reitböck
    Ilse Reitböck

Fo41 FISCHER, Karl   19oo –
    Georg Alfred Vischer   R

Fo42 FISCHER, Martin
    Otto Martin   Ü

Fo43 FISCHER-ABENDROTH, Wolfdietrich   1941 –
    Courth de Nagy   R

Fo44 FISCHL, Viktor   1912 –
    Avigdor Dagan   R

Fo45 FLAISCHLEIN, Cäsar   1864 – 1920
        Cäsar Stuart   R
        C. F. Stuart

Fo46 FLAKE, Otto   1880 – 1963
        Leo F. Kotta   R

Fo47 FLATOW, Curth   1920 –
        C. A. Barett   R

Fo48 FLECHTNER, Hans Joachim
        Alexander Horla   K

Fo49 FLEGEL, Sissi   1944 –
        Fiona Fischer   J

Fo5o FLEISSNER, Roland   1937 –
        Erev   Ü

Fo51 FLESCH, Hans   1895 – 1981
        Vincent Brun   R

Fo52 FLIEGEL, Helmut   1913 –
        Helmut Flieg   R
        Stefan Heym

Fo53 FLÖRKE, Saskia   1959 –
        Saskia Vester   R

Fo54 FLÜGGE, Hans-Ludolf   1907 – 1980
        Gertrud Flügge-Kroenberg   R
        Michael Kohlhaas

Fo55 FOCKEN, Hans   1934 –
        Robert Roden   R

Fo56 FOREGGER, F.
        Fritz Thurn

Fo57 FRANCISKOWSKY, Hans Günther   1936 –
    Hans G. Francis   H/J/K/SF
    Heinz G. Francis
    H. G. Francisco
    Gunther Frank
    Cade C. Meritt
    R. C. Quoos-Rabe
    Ted Scott (VP)
    Frank Sky

Fo58 FRANK, Lothar-Mathias   1899 – 1981
    Frank M. Lothar   K/R

Fo59 FRANK, Peter   1937 –
    Peter Lill   K
    Georg Reutin
    Nikolaus Scheller

Fo6o FRANKE, Charlotte (geb. Winheller)   1935 –
    Charlotte Winheller   J/SF

Fo61 FRANKE, Herbert W.   1927 –
    Sergius Both   Sach/SF
    Peter Parsival

Fo62 FRANZ, Erich Arthur
    Eric Artur Franc
    E. A. Francis

Fo63 FRANZ, Erika
    Iris von Raven   R

Fo64 FRANZKE, Günther   19o3 –
    Günther Schwenn   R

Fo65 FREBEL, Ernst   1877 –
    William George   A/SF/W

Fo66 FREDERICHS, Hans-Jürgen
    Pascal

Fo67 FREIBERG, Hans-Joachim
    John Fryberg   K/SF

Fo68 FREIHOFER, Lois Diane
    Lois Barth

Fo69 FREITAG, Otto
    Karl Adler
    Oswald Friedeburg
    Franz Otto

Fo7o FRENES-RILLA, Alix Eveline du   1925 – 1981
    Alix du Frenes   R

Fo71 FRENZ, Hannelore   1943 –
    Hanne Hünefeld   J

Fo72 FREPPERT, Peter   19o8 – 1965
    Piter von der Rell   R

Fo73 FREUNDLICH, Elisabeth   1906 –
    Elisabeth Lanzer   R

Fo74 FREUNDSBERGER, Hildegard   1924 –
    Hilde Forster   J

Fo75 FREY, Anton   1901 –
    Armin Frank   R

Fo76 FREYBERG, Hermann   1898 –
    H. P. Eela   J/K/R

Fo77 FREYTAG, Hans-Jürgen
    H.J.Frey   SF

Fo78 FREYTAG, Willi Gustav   1887 –
    Will Frydag   K

Fo79 FRICKE, Hans Werner
    H. L. Fahlberg   SF

Fo8o FRIEBEL-RÖHRING, Gisela   1941 –
     G. Friebel   H/J/R
     Gisela de Fries
     Thea Moosbach

Fo81 FRIEDE, Gerhard   1934 –
     Gerd Talis   R

Fo82 FRIEDLÄNDER, Salomo   1871 – 1946
     Mynona   Ph/R/SF

Fo83 FRIEDMANN, Egon   1878 -1938
     Egon Friedell   R/Sach/SF

Fo84 FRIEDRICH, Anita   1947 –
     Anne Alexander   J/R
     Dinah Kayser

Fo85 FRIEDRICH, Margot   1941 –
     Anne Carius   R

Fo86 FRIEDRICH-FREKSA, Kurt   1882 -1955
     Friedrich Freksa   SF
     (mit Gertrud Schmidt-Freksa)

Fo87 FRIEDRICHS, Holger   1949 –
     John Cameron (VP)   A/H/K/W
     Jerry Cotton (VP)
     Glenn Douglas (VP)
     Brian Elliot (VP)
     Al Frederic
     Robert Lamont (VP)
     Frank de Lorca (VP)
     Roy Palmer
     Jack Slade (VP)

Fo88 FRIEDRICHS, Horst   1943 –
     Sven Arborg   A/H/K/R/W
     Henry Bergen
     John Cameron (VP)
     Steve Cooper (VP)

Jerry Cotton (VP)
Burt Frederick
Robert Lamont (VP)
James Roycroft
Brian Sherard
Frederic Short
Jack Slade (VP)
John Whitman

Fo89 FRIESEN-MIELTITZ, Felicitas von
    Rhonda Freeman   R

Fo9o FRITSCH, Steffanie   1911 –
    Steffi von Altan   R

Fo91 FROBÖSE, Editha   1893 –
    Editha Meise   J

Fo92 FRÖBA, Klaus   1934 –
    Andreas Anatol   J/K
    Christian Carsten
    Matthias Martin

Fo93 FRÖHLICH, Gustav
    Heinz Brandt

Fo94 FRÖHLICH, Heinz-Peter
    H. P. Holling   SF

Fo95 FRÖSCHL, Josef G.
    F.Pepin   E

Fo96 FROMMHOLZ, Alice   1910 – 1962
    Viola Garven
    Gabriele Terenz

Fo97 FUCHS, Anton   1920 –
    Thomas Elten   R

Fo98 FUCHS, Jakob   1927 –
    Ralph L. Thompson   R

Fo99 FÜNFGELD, Margarete
     Margarete von Oertzen

F1oo FÜRSTAUER, Johanna   1931 –
     Joy Bentley   E/H
     Joan Forestier
     Barbara Kelly
     Keith Morgen
     Dr. Stanley
     J. F. Stanley
     Sylvia White

F1o1 FÜRSTENBERG, Hilde   1902 –
     Hanna Friedrich   R
     Hanne Linden

F1o2 FÜSSER, Erika
     Nina Gregor   R

F1o3 FUHSE, Georg Feodor
     Tim Larssen

F1o4 FUSS, Karl   1893 – 1962
     Wendelin Überzwerch   R

F1o5 FUSSENEGGER, Gertrud   1912 –
     Gertrud Dorn   R

Goo1 GAA, Edel   1919 –
        Barbara Gulden   R

Goo2 GAGERN, Kurt von
        Kurt Gafran

Goo3 GAMBER, Hans
        Christopher Barr (mit C.Fischer)   K

Goo4 GARDOS, Alice   1916 –
        Alice Schwarz   J/R

Goo5 GAREIS, Herbert   192o –
        S. N. Sukron   J

Goo6 GAST, Emil
        Victor Paratus

Goo7 GATTERBURG, Juliana von   1899 –
        Juliana von Stockhausen   R

Goo8 GAUDECKER, Hans von   1896 – 1972
        Hans Woldeck   J/R

Goo9 GEBAUER, Walter Ludolf   19o3 –
        Walter Delft   A/K

Golo GEBERT, Li   191o –
        Li Schirmann   J/R

Go11 GEBHARDT, Friedrich Johann   1919 –
        Eugen Oker   R

Go12 GECK, Heinz   19o3 –
        H. W. Hart   A/R

Go13 GEHRMANN, Horst   193o –
        John Cameron (VP)   K/SF
        Jerry Cotton (VP)
        H. G. Ewers
        Ken Porter

Go14 GEIGER, Erich   1924 –
    Jan Michell   R

Go15 GEISLER, Hans
    Stephan Hansen   K/R/W
    Johann Jira
    James Robertson
    Marion Stephani
    Jean Jacques Tournet
    Stephan Trey

Go16 GEISSLER, Margarete   1888 –
    Ann Margret   J/R

Go17 GEIST, Rudolf   19OO –
    Nick N. Nobody   R

Go18 GELDERN, Egmont Colerus von   1888 – 1939
    Egmont Colerus   R/Sach/SF

Go19 GENAZINO, Ursula   1936 –
    Ursula Valentin   J

Go2o GENTZ-WERNER, Petra   1951 –
    Petra Werner   R

Go21 GEORGE, Olga   1891 –
    Olly Boeheim   R

Go22 GEORGIEWITZ-WEITZER, Demeter
    G. W. Surya

Go23 GERBER-HESS, Maja   1946 –
    Maja Hess   J

Go24 GERHARDT, Dagobert von
    Gerhard von Amyntor

Go25 GERICKE, Gabriele   1948 –
    Gabriele Herzog   R

Go26 GERLE, Wolfgang Adolf
        Konrad Spät

Go27 GERSTMAYER, Alfred
        Freddy Weller (VP)

Go28 GERSTMAYER, Hermann   1886 –
        Ralph Doyan   A/J
        Leo Harald
        Hermann Lienhart

Go29 GESKE, Matthias
        Thomas Tegern   J

Go3o GEYER, Hans-Joachim   19o1 – 1972
        Henry Troll   K/R

Go31 GHERI, Leopold
        Bruder Vinzenz Ferrerius

Go32 GIBSON, Lavinia   1895 –
        Elisabeth Holt   R

Go33 GIESA, Werner K.   1954 –
        Kurt Carstens   A/H/SF/W
        Tanith Cloud
        Steve Cooper (VP)
        Roger Damon (SP)
        Ted Ewigk
        G. Hasdur
        Merlyn G. Hasdur
        G. Hastur
        Robert Lamont (VP)
        (auch mit Andreas Decker bzw.
        mit Manfred Weinland)
        Charles McKay (VP)
        Art Norman
        Robert Quint
        (mit Eva Eppers u. Rainer Zubeil)
        Monty G. Ryker
        Rhet Saris
        Mike Shadow (VP)

(auch mit M. Weinland)
Olsh Trenton (VP)
(auch mit M.Weinland)
H. P. Usher (VP)

Go34 GIESEL, Manfred-Gerhard   1921 –
    Fred Sell   R

Go35 GLASER, Franz
    Ax Bixby   W
    Frank Glaser

Go36 GLASER, Martha   1898 – 1982
    Ruth Will   R

Go37 GLASSBRENNER, Adolf   181o – 1876
    Adolf Brennglas   R

Go38 GLAUER, Rudolf
    Rudolf Freiherr von Sebottendorf

Go39 GLEICH, Joseph Alois   1772 – 1841
    Adolph Blum   Ph
    Ludwig Dellarosa
    H. Walden

Go4o GLÖSSNER, Harry
    Frank Walden   K

Go41 GLOWACZ, Helmut
    Everett Jones (VP)   W
    John Kendall

Go42 GLUCHOWSKI, Bruno   19oo – 1986
    Robert Paulsen   R

Go43 GLÜCK, Anna (geb. Stahl)   1915 –
    Petra van Steen   R
    Ann Wied

Go44 GÖBEL, Dieter
    Douglas Bennet   SF

Go45 GOEBEL, Günther   1912 –
    Lothar van Goel   R

Go46 GÖBELS, Hubert   19o5 –
    Helmut Wadden   J

Go47 GOEDSCHE, Hermann O. F.   1811 – 1878
    Sir John Retcliffe   A/R

Go48 GÖÖCK, Roland   1923 –
    Lutz Adron   Sach/SF
    Alexander Ettl
    Rolf Jaromin
    Peter Korn
    Peter Roland

Go49 GOERCKE, Günther   1918 – 1983
    Martin Morlock   R

Go5o GOERITZ, Gerda   1914 –
    Ulla Birkenstein (VP)   R

Go51 GÖRLITZ, Wolf-Dieter   1939 –
    Felix Winzer   R

Go52 GÖRZ, Heinz   1913 –
    Harald Harden   J/R
    Peter Osten

Go53 GÖTZ, Gerd   1929 –
    Katharina Werner   J/K/R

Go54 GOGOLIN, Peter   195o –
    A. Esch   R

Go55 GOLDSCHEIDER, Albert   1848 – 1916
    Balduin Groller   K

Go56 GOLDSTEIN, Moritz   188o – 1977
    Michael Osten   R

Go57 GOLSSENAU, Arnold Friedrich Vieth von   1889 – 1979
      Ludwig Renn   R

Go58 GOLTZ, Dietlind   1926 –
      Dietlind Neven du Mont   J

Go59 GONDA, Alexander   19o5 – 1977
      Phil Segovia   R

Go6o GRAAS, Fritz   1895 –
      Fritz Pimm   R

Go61 GRÄF, Johann   189o – 1974
      Hans Gebhardt   R
      Hans Rosner

Go62 GRAEF, Marianne   19o2 –
      Marianne Scheel   J

Go63 GRAMS, Boris   19o8 –
      Glagla   R

Go64 GRANDT, Guido
      Desmond Black (VP)   H
      Mike Shadow (VP)

Go65 GRANDT, Michael
      Desmond Black (VP)   H

Go66 GRASMÜCK, Jürgen   194o –
      Albert C. Bowles   F/H/K/SF/W
      Bert Floorman (VP)
      J. A. Garrett
      J. A. Gorman
      Jay Grams
      Jürgen Grasse
      Jeff Hammon
      Ron Kelly
      Rolf Murat (VP)
      Dan Shocker (PP)*
      Owen L. Todd

Go67 GRAUTHOFF, Ferdinand   1871 – 1935
  Parabellum   Ph/SF
  Seestern

Go68 GRÉGOIRE, Pierre   1907 –
  Gregor Stein   R

Go69 GREILING, Walter   1900 – 1983
  Walt Grey   R

Go7o GREINER, Franz   1919 –
  Werner Pank   R

Go71 GREINER-MAI, Herbert   1927 –
  H. G. Reiner   J

Go72 GREISER, Wolfgang   1884 –
  W. G. Reiser

Go73 GREITHER, Margit   1918 –
  Johanna Brugger   R
  Franziska Ried
  Susanne Roth
  Margret Walser

Go74 GREVE, Felix Paul   1879 –
  Frederick Philip Grove   R

Go75 GREVEN, Helga   1923 –
  Julie Gravell   R
  Juliane Greven
  Nicola Kersten
  Nicola Norma
  Birgit Swanholm
  Juliane Wilders

Go76 GRIMMELSHAUSEN, Hans Jakob Christoffel von 1622 – 1676
  Melchior Sternfels von Fugshaim   R
  Erich Stainfels von Greifensholm
  Simon Lenfrisch von Hartenfels
  Samuel Greifensohn von Hirschfelt
  Israel Fromschmit von Hugenfels

Michael Reghulin von Sehnstorff
Signeur Messmahl
German Schleifheim von Sulsfort

Go77 GRöMMER, Helmut   1912 –
     Fritz Reinhold   J/K

Go78 GROETTRUP, Bernhard
     Grote Bernd

Go79 GROH, Georg Artur   1913 –
     Georg Georgi   R

Go8o GROMADECKI, Josef   1921 –
     Peter Groma   A/R

Go81 GRONWALD, Werner   1917 –
     Mortimer Colvin   H/R/W
     Weston Grosmont
     I. B. Morkim
     Ben Warren
     Werner Wolter

Go82 GROSCHE, Eugen
     Gregor A. Gregorius

Go83 GROSHOLZ, Franz   1886 –
     Franz Peter Flamberg   R

Go84 GROSSE, Carl Friedrich August   1768 – 1847
     Marquis von Grosse   Ph/R
     Graf Edouard Romeo Vargas

Go85 GROSSER, Karl-Heinz   1922 –
     G. Rosser   R

Go86 GROSSHANS, Rolf H.
     Rolf H. Groß   SF

Go87 GROSSMANN, Hans Hugo   1916 –
    Peer Carson   K/W
    Jeff Carter
    John Drake (VP)
    Howard Duff (VP)
    Ben Gibson
    John Grant
    Ralf Holm
    Ernest P. Kellog
    Lex Lane (SP)
    Norman Loyd
    Tex Mason
    Inspector McCormick
    Jack Morton (VP)
    Mark Shannon
    Hooker Sharp
    Stan Telford

Go88 GROTEWOLD, Christian Stephan
    A. Venir

Go89 GROTKOP, Edith   1897 –
    Edith Guetté   J

Go9o GRUBER, Gisi   19o3 – 1971
    Barbara Maria Alsegger   K/R
    Jules Charpentier

Go91 GRUEB, Willy   1912 –
    Uwe Berg

Go92 GRÜN, Robert   19o9 –
    Robert Moeris   R

Go93 GRUND, Carl-Joseph
    J. C. Dornberg   R/W
    Ben Frank
    Will Price

Go94 GRUNERT, Carl H.   1865 – 1918
    Carl Friedland   SF

Go95 GRUNSKY, Hans
    Hans Guny   SF

Go96 GUDOS, Alice
    Alice Schwarz   J/R

Go97 GÜNTHER, Hans   1910 – 1978
    Johann Peter Segelcke   R

Go98 GÜNTHER, Hans Ludwig Albert   1903 –
    Frank Astor   A/K

Go99 GÜNTHER, Heinz   1921 –
    Jens Bekker   A/K/R
    Silva Bertram
    Stefan Doerner
    Günther Hein
    Heinz G. Konsalik
    Hein Konter
    Benno von Marroth
    Boris Nikolai
    Henry Pahlen

G1oo GÜNTHER, Karl   1904 –
    Karl von Holstein   J

G1o1 GÜNTHER, Karl Heinz   1924 –
    Jerry Cotton (VP)   K
    C. H. Guenter
    Bert F. Island (VP)

G1o2 GÜNTHER, Willy   1908 – 1985
    Günther Haselbusch   J/R

G1o3 GUGGENHEIM-VON WIESE, Ursula 1905 –
    Sibylle Hilton   J/R
    Renate Welling
    Ursula von Wiese

G1o4 GUMMERT, Charlotte   1900 –
    Annegret Hoff   R
    Johannes Hollstein

G1o5 GUNSKE, Georg   1925 –
    Herbert George   R

G1o6 GUNTERMANN, Paul
    P. Gunter Mann   K

G1o7 GURK, Paul   188o – 1953
    Ernst Grau   R/SF
    Franz Grau

G1o8 GYMNICH, Heinz   1925 –
    Henry Gynch   E
    Juana Morell

Hoo1 HAACKE, Wilmont   1911 –
    Stefan Lafeuille   R

Hoo2 HAAKE, Jürgen   1947 –
    Axel Martin   R
    Christel Mas
    Christine Rau
    David Rau
    Florian Stein

Hoo3 HAARMANNN, Erna   19o2 –
    Erna Därmann   R

Hoo4 HAAS, Carl-Hellmuth   1917 –
    Andrei Kronen   R

Hoo5 HABECK, Fritz   1916 –
    Glenn Gordon   J/R

Hoo6 HABERLER, Lucia   1937 –
    L. L. Habert   R

Hoo7 HABISREUTINGER, Rudolph Demeter   1918 –
    Frank Pentland   R
    Stephen Tanner

Hoo8 Hacke, Ernst Max   1912 –
    Peer Baedeker   R

Hoo9 HACKL, Leopold   19oo –
    Phil M. Garrik   K/W

Ho1o HACKMANN, Karl-Heinz
    Jerry Cotton (VP)   K
    Jerry Ford

Ho11 HAEFS, Gabriele   1953 –
    Trautchen Neetix   R

Ho12 HAEFS, Gisbert   195o –
    Oskar T. Sahm   Ü

Ho13 HÄHNLEIN, Irene
    Irene Busch   J

Ho14 HAEMMERLING, Konrad
    Curt Moreck

Ho15 HÄNGEKORB, Kurt   1886 –
    Robert Kurt   J/R

Ho16 HAENSEL, Hubert   1952 –
    George McMahon   H/K/SF
    Irving Simon

Ho17 HÄRING, Wilhelm   1798 – 1871
    Willibald Alexis   K/R

Ho18 HÄUSER, Otto   1924 –
    Ottokar Domma   R

Ho19 HAFT, Elli   1904 – 1964
    Madeleine Manon   J/R
    Barbara Stein
    Juliane Thörwang

Ho2o HAFT, Fritjof
    Jerry Cotton (VP)   K

Ho21 HAFT, Uwe
    Jerry Cotton (VP)   K

Ho22 HAGEN, Brunhilde Melitta (geb. Löbel)   1920 –
    Bruni Löbel   R

Ho23 HAGN, Hugo   1903 –
    Leo Löwenzahn   J/R
    Herman Reisbacher

Ho24 HAHN, Annely (geb. Müller-Bürklin)   1926 –
    Viola Larsen   R

Ho25 HAHN, Rolf   1917 –
    Paul Dubois   A/R/W
    Ralph Haningway
    Ralph Hayn
    Achim Stahl

Ho26 HAHN, Ronald M.   1948 –
    Isaak Asimuff (mit Uwe Anton)   H/J/K/SF/Ü
    Martin Beranek (SP)
    Terence Blaide
    David Crosby
    Manuel S. Delgado
    Brian Elliot (VP)
    Thorn Forrester (SP)
    Ronald M. Harris
    Daniel Herbst (mit H. J. Alpers)
    H. P. Howard
    (mit K. Diedrich & H. Pukallus)
    Gregory Kern (VP)
    Robert Lamont (VP)
    Mark Lindsay
    Daniel Monroe
    Marcus Montag
    Mischa Morrison (PP)
    Elmar von Nächstebreck
    I. S. Osten (SP)
    Ted Slade (SP)
    Conrad C. Steiner

Ho27 HAIDLE, Martha-Maria   1917 –
    Martha-Maria Bosch   J

Ho28 HAIMERL, Otto
    Hardy Heart   A/Ph/SF

Ho29 HAIN, Irma   19o7 –
    Irma Loos   R

Ho3o HAINDL, Marieluise   19o1 – 1974
    Marieluise Fleisser   R

Ho31 HAJAK, Eva-Johanna   1925 –
    Esther Reimeva   J

Ho32 HAJEK, Egon   1888 –
    Egon Hain   R

Ho33 HALBERT, Abram   1881 –
    Albert Ganzert   R

Ho34 HALLACZ, Klaus   1913 – 1975
    Fred Fischer   R

Ho35 HALLER, Hans
    James Overlack   W

Ho36 HALLER, Hildegard von   1918 – 1971
    Hildegard Diessel   J

Ho37 HALPER-SZIGETH, Ernst Alfred   1911 –
    Ernest van Alpen   R

Ho38 HAMANN, Bärbel   1940 –
    Verena Laubenstein   R
    Katja Simon

Ho39 HAMER, Gertrud (geb. von Sanden)   1881 – 1940
    Mervyn Brian Kennicott   R

Ho40 HAMMERSCHMID, Josef   1920 –
    Josef Gollwitzer   R

Ho41 HAMPEL, Bruno   1920 –
    Heinz Glogau   R

Ho42 HANDL, Joseph   1896 – 1983
    Hans Holm   R

Ho43 HANSEN, Jürgen   1940 –
    Johan Farina   R

Ho44 HANSTEIN, Otfrid von   1869 – 1959
     Guenther von Hohenfels   K/R/SF
     R. Trebonius
     Otto Zehlen

Ho45 HANSTEIN, Wolfram v.
     Berg Berger
     Hellan Hell

Ho46 HARBECK, Alois   1939 –
     Aloy Harb   R
     Oskar Leibach

Ho47 HARDT, Heinz   19o1 –
     Dirk R. Robertson   R/SF
     Irma Szillaghy
     Etta von Tannmark

Ho48 HARKSEN, Verena C.   1942 –
     Adelaide Nerev   F/SF

Ho49 HARMENING, Wilhelm Chr.   1912 – 1962
     H. F. Erningham   A/R
     Michael Harding
     Christel Harms
     C. W. Harmsen

Ho5o HARNACK-BRAUN, Katharina   1918 –
     Käthe Braun

Ho51 HARNISCH, Lucy   1898 –
     Lucy Corneißen   R

Ho52 HARRER, Josef Robert   1896 –
     Robert Ibius   R
     Lukas Nell

Ho53 HARTHERN-JACOBSON, Ernst   1886 –
     Niels Hoyer   R

Ho54 HARTLEBEN, Otto Erich   1864 – 19o5
        Otto Erich   R
        Henrik Ipse

Ho55 HARTMANN, Edith   1927 –
        Sirmione Zinth   K/R

Ho56 HARTMANN, Helmut   1931 –
        Jerry Cotton (VP)   H/J/K/R/W
        John Drake (VP)
        Henry Hart
        Fred Henry (VP)
        Jack Hilton
        Henry Seymour
        Wayne Seymour

Ho57 HARTSCH, Gerhart
        John Cameron (VP)   H/K/W
        Jerry Cotton (VP)
        Steve M. Garrett
        Robert Lamont (VP)
        Kid Laredo
        Jack Logan
        Frank de Lorca (VP)
        Ralph Malorny
        George McHart
        Jack Slade (VP)

Ho58 HARY, Werner Andreas
        W. A. Castell   H

Ho59 HARY, Wilfried A.   1947 –
        Mark Baxter (VP)   A/H/K/SF/W
        Brian Elliot (VP)
        Erno Fischer
        Will Harris
        Robert Lamont (VP)
        Frank de Lorca (VP)
        Mike Shadow (SP)
        Dan Shocker (PP)
        W. A. Travers
        H. P. Usher (SP)

Harry Wilford

Ho6o HARZER, Karl   1913 –
    Robert Duncan   A/R
    Godward Lynn

Ho61 HASLER-SCHÖNENBERGER, Elisabeth   1924 –
    Elisabeth Schönenberger   J

Ho62 HASSEBRAUK, Marianne   1923 –
    Marianne Abel   J

Ho63 HASSELBLATT, Dieter   1926 –
    Karl-Herbert Henrici   L/R/SF
    Bertil E. Sahlstaedt
    Peter Zweydorn

Ho64 HASSENSTEIN, Dieter   1913 –
    Heinz Dietrich   R
    Jan Mog

Ho65 HASSLER, Ernst   1922 –
    Ernst Hall   K

Ho66 HASSLINGER, Inge Maria   1921 –
    Inge Maria Grimm   J

Ho67 HAUFF, Wilhelm   18o2 – 1827
    Heinrich Clauren   R

Ho68 HAUG, Doris   1933 –
    Doris Bieri   J/R

Ho69 HAUGK, Klaus Conrad   1932 –
    Klaus Conrad   R

Ho7o HAUSCHILD, Albin Waldemar
    Mac Onward   W

Ho71 HAUSCHILD, Reinhard   1921 –
       Michael Lorenz   R/Sach
       Ulrich Mühlenfeld
       Harald Müller-Roland
       Thomas Ulrich

Ho72 HAUSLEITNER, Ines Hermine   1904 –
       Ines Widmann   R

Ho73 HAUSMANN, Wolfgang L.
       W. L. Mann   SF

Ho74 HAVERS, Dora
       Theo Gift

Ho75 HEBEL, Peter
       Susan Baker   K/R/W
       Mark Baxter (VP)
       Mike Callaghan
       John Cameron (VP)
       Jerry Cotton (VP)
       Dr. Stefan Frank (VP)
       Pete Hellman
       Kojak
       Jay Lever
       Benito Martinez (VP)
       E. B. Millett
       Frederick Nolan (SP)
       Jack Slade (VP)

Ho76 HEBERER, Alfred   1913 –
       Alfred Michael Enders   R

Ho77 HEBSAKER, Grit   1926 –
       H. Grit Seuberlich   J

Ho78 HECHT, Friedrich   1903 – 1980
       Manfred Langrenus   SF

Ho79 HEDERICH, Johannes   1909 –
       Heinrich Otten   K

Ho8o HEER, Friedrich   1916 – 1983
        Hermann Gohde

Ho81 HEESE, Diethard van   1943 –
        John Spider (VP)   H

Ho82 HEFTRICH, Eckhard   1928 –
        Urs Markus   J

Ho83 HEICHEN, Walter   1876 – 197o
        Walter Eichner   J/Ph/R
        Hermann Eiler
        Lothar Helfenstein
        Gerd Kühnwald
        Erich Walter
        Karl Wilding

Ho84 HEIDE, Harry F.
        Clark S. Wilson   SF

Ho85 HEIDEMANN, Leni   1911 –
        Birgit Sorge   R

Ho86 HEIDRICH, Ingeborg
        Gwinny Heid   J
        Claire Illing

Ho87 HEIDSIECK, Hans   1892 –
        Harry Hoff   A/K/R/SF
        Heide Sieck

Ho88 HEIMANN, Wilhelm   19o1 – 1966
        Fedor Willi Bergen   R

Ho89 HEIMANN-HEIZMANN, Gertrud   19o5 –
        Gertrud Heizmann   J

Ho9o HEINDL, Gottfried   1924 –
        Georges Hoyau   R
        Michael Märwert

98

Ho91 HEINECKE, Rudolf   1923 –
    Ralph Heygk   J/R

Ho92 HEINEMANN, Erich   1929 –
    Matthias Mann   J

Ho93 HEINKEN, Mathilde (geb. Thoben)   19o8 –
    Tilly Trott-Thoben   R

Ho94 HEINRICH, Peter   1941 –
    –ky & Co (mit Horst Bosetzky)   K

Ho95 HEINZE, Eckhard   1922 –
    Michael Mansfeld   R

Ho96 HEINZE, M. R.
    M. R. Richards (VP)   H

Ho97 HELD, Christa   1929 –
    Ruth Flensburg   J/R

Ho98 HELGATH, Franc
    Mark Baxter (VP)   H/K/W
    John Cameron (VP)
    Brian Elliot (VP)
    Ringo Hurricane (VP)
    Kojak
    Robert Lamont (VP)
    Frank de Lorca (VP)
    Frederick Nolan (SP)
    Ben Silva
    Jack Slade (VP)

Ho99 HELLER, Alfred   1885 –
    Susan Harwell   J/R

H1oo HELLWIG, Ernst   1916 –
    Rex Albert Aladin   A/J/K/R
    Horst Candenbach
    Benno Cleff
    Ernst Wilhelm Nyssen

H1o1 HELMS, Karl-Heinz   1912 –
     Ats Valtna   R

H1o2 HEMPEL, Eva   1910 –
     Eva Hoffmann-Aleith   R

H1o3 HENCKELL, Jürgen   1915 –
     Ronald Randen   R
     Laura Saint-Pierre
     Tilo Tilman

H1o4 HENGSBACH, Arno   1877 –
     Arno Hach   Ph

H1o5 HENGSTENBERG, Ernst   1891 –
     Erika Herberger   R

H1o6 HENKEL, Ilse   1926 –
     Kathrein Biggern   R

H1o7 HENSCHEL, Waltraut   1914 –
     Waltraut Althausen   J/R
     Waltraut Villaret

H1o8 HENSCHKE, Alfred   1890 – 1928
     Klabund

H1o9 HENSELER, P. S.
     Jerry Cotton (VP)   K

H11o HEPPNER, Walther   1896 –
     Uta von Holt   R
     Ina Linden

H111 HERBST, Hans   1880 –
     Georg Wallentin   R

H112 HERBST, Ruth   1923 –
     Ruth Kirsten-Herbst   R

H113 HERCHENRÖDER, Jan   1911 – 1986
     Christian G. Langen   R

100

H114 HERDEN, Herbert   19o6 –
      Alexander Helios   SF

H115 HERDER, Edeltraut   1918 –
      Edith von Altenau   J/R
      Traute Bernd
      Suzette Sanders

H116 HERHAUS, Ernst   1932 –
      Eugenio Benedetti   R

H117 HERING, Burkhard   19o3 – 1982
      Hari Burkhard   J

H118 HERING, Elisabcth   19o9 –
      Elisabeth Ackner   R

H119 HERING, Geo   19o3 – 197o
      Georg Dorn   R
      G. H. Zogenreuth

H12o HERMANN, Günther
      Jocelyn L. Lennox   R

II121 HERMANN, L. A.
      L. Albert

H122 HEROLD, Annemarie   1924 –
      Heide Wendland   R

H123 HERRMANN, Gerhard   19o1 – 1973
      Gerhart Herrmann Mostar   R

H124 HERRMANN, Josef   1915 – 197o
      Bernd Carstens   K

H125 HERTEL, Johann Georg
      M. Reinlein

H126 HERZBRUCH, Arnd
      Nikolaus Reitter

H127 HERZIG, Ernst   1914 –
     Ernie Hearting   J

H128 HERZOG, Johann Adolf
     Hansel Truth

H129 HERZOG, Wilhelm Peter   1918 –
     Peter Duka   J/SF
     Peter Helmi

H13o HESPOS, Liselotte   1921 –
     Carla Louis   R

H131 HESS, Dirk R.   1946 –
     Derek Chess   H/SF

H132 HESS, Magda   19o8 –
     Magda Münnich   J

H133 HESSE, Hermann   1877 – 1962
     Emil Sinclair   R

H134 HESSING, Jakob
     Ron Ressing   W

H135 HETMANEK, Berta   1899 – 1969
     Bertl Hayde   J

H136 HEUER, Wilhelm
     Arco v. Felsegg
     William Heuer
     M. A. v. Illiw-Uehre
     Hans Morgan
     Theo von Sternau

H137 HEUERT, Eva
     Carolin Ried   R

H138 HEUN, Karl Gottlieb Samuel   1771 – 1854
     Heinrich Clauren   R

H139 HEYCK, Hans   1891 – 1972
    Harro Loothmann   R

H14o HEYDA, Ernst   191o –
    Ernst Albert   J/R
    Frank O. Bach
    P. E. A. Ergon
    Ernst Walter

H141 HEYDEN, Friedrich von der   1886 –
    Franz Held   R

H142 HEYMANN jun., Robert   19o1 – 1963
    Lilo Arand   A/K/R/W
    Robert Arden
    Toddy Brett (SP)
    Fred Roberts (SP)

H143 HEYMANN sen., Robert   1879 –
    Max Ladenburg   A/K/R/W
    Mac Lee
    Sir John Retcliffe d.J.
    Fred Roberts (SP)

H144 HEYMER, L. von
    Ludmilla von Rehren

H145 HICKMANN, Franz Maria   1897 –
    Frank Highman   K/R

H146 HIERONIMUS, Ekkehard   1926 –
    Maximilian Grohus

H147 HIETZIG, A. B. Walter   1894 –
    W. Africanus   J/R

H148 HILLER, Wilhelm   1884 –
    William Hiller   A/W

H149 HINDENACH, Arthur   1911 –
    Artj Cambel   R

H150 HINTZ, Werner   1907 – 1985
    Heinz Wertner   K/R

H151 HINZELMANN, Elsa M.   1895 – 1969
    Margrit Hauser   J/R

H152 HIPP, Rüdiger   1940 –
    Florian Ulmer   R/SF

H153 HIRSCH, Ludwig   1843 – 1910
    Ludwig Hevesi   Ph

H154 HIRSCH, Rosemarie (geb. Schuder)   1928 –
    Rosemarie Schuder   R

H155 HIRSCHLER, Adolf   1931 –
    Ivo Hirschler   R

H156 HITZ, Erika   1920 –
    Erika Trakehnen   R

H157 HITZBLECK, Friedrich   1951 –
    Conny Lens   K

H158 HOBEIN, Eugen   1894 –
    Axel Arndt   A/K/W
    Jim Carney
    Jerry Cotton (VP)
    Glenn Drake
    Roy Parnass
    Tom Scott
    Hal Wilson

H159 HOCHHEIMER, Albert   1900 – 1976
    Bert Jorat   J/R

H160 HOCHRAIN, Helmut
    Leopold Liesenberg   R
    Jean Schack

H161 HODANN, Valerie   1866 –
    Hans Daub   Ph

H162 HODER, Friedrich
    Peter Hausen

H163 HÖBER, Heinz Werner   1931 –
    Jerry Cotton (VP)   K/R/W
    James Falker
    John Foster
    King Gold
    Sam Langster
    Heinz Werner Müller
    Karin van Zeyck

H164 HÖCKER, Charlotte   19o4 –
    Lo Marx-Lindner   R

H165 HÖCKER, Karla   19o1 –
    Christiane Rautter   R

H166 HÖGEL, Lisa
    Cora Sobergk   K/R

H167 HÖLLWERTH, Hilde
    Bärbel Tanner   R

H168 HÖLTSCHI-GRÄSSLE, Charlotte   1926 –
    Charlotte Bandol   J

H169 HÖPFNER, Karl   19o8 – 1964
    Horst Alm   R

H17o HÖRTI, Maria   1920 –
    Maria Zimmermann   R

H171 HÖSS, Margit   1911 –
    Ellen Heydorn (SP)

H172 HOF, Anni (geb. Geiger)   1897 –
    Anni Geiger-Gog   J/R
    Anni Geiger-Hof
    Hanne Menken

H173 HOFBAUER, Elfriede   1909 –
      Enne Brückner   R
      Friede von Motten

H174 HOFÉ, Günter   1914 –
      Bernd Elberger   R

H175 HOFFMANN, Ernst Theodor Wilhelm   1776 – 1822
      Ernst Theodor Amadeus Hoffmann   Ph/R

H176 HOFFMANN, F. C.
      Arnold v. d. Passer

H177 HOFFMANN, Günther   1911 –
      Peer Heikhenhoff   K/R

H178 HOFFMANN, Hans   1929 –
      Petra Piers   J
      Peter Siegentaler

H179 HOFFMANN, Horst   1950 –
      Neil Kenwood   SF

H180 HOFFMANN, Oskar
      W. W. Hamilton

H181 HOFFMANN, Walter   1908 –
      Walter Kolbenhoff   R

H182 HOFFMANN-HARNISCH, Wolfgang   1893 – 1965
      Wolfgang Lindroder   R

H183 HOFMANN, Charlotte (geb. Hochgründler)   1909 – 1983
      Charlotte Hochgründler   R

H184 HOFFMANNS, W. P.
      Ted Scott (VP)   SF

H185 HOFMANN, Hellmut W.   1928 –
      Hellmut Wolfram   SF

H186 HOFMANN, Irmela   1924 –
    Paula Paulsen   R

H187 HOFMANN, Maria   19o9 –
    Maria Gleit   J/R

H188 HOFMANNSTHAL, Hugo von   1874 – 1929
    Levis   Ph/R
    Loris
    Melikow
    Theophil Morren

H189 HOGL, Dietrich
    D. C. Hogan   SF

H19o HOHLBEIN, Wolfgang E.   1953 –
    Jerry Cotton (VP)   F/H/J/K/R/SF/W
    Robert Craven (PP)*
    (auch mit K. U. Burgdorf)
    Ryder Delgado (PP)
    Wolfgang Eschenloh
    Martin Hollburg (VP)
    (auch mit K.-U-Burgdorf bzw. M. Eisele)
    Robert Lamont (VP)
    Michael Marks
    Jason McCloud
    Angela Smith
    Jack Vernom
    Henry Wolf (PP)*
    (auch mit K.U.Burgdorf)

H191 HOHOFF, Margarete   192o –
    Madeleine Renard   R

H192 HOLENSTEIN, Peter   1946 –
    Peter Lennox   H/K
    Peter Lenox

H193 HOLESCH, Oskar   19oo – 1982
    Oskar H. Friedrich   R

H194 HOLLENIA, Alexander von   1897 – 1976
      Alexander Lernet-Holenia   Ph/R

H195 HOLM, Werner   1917 –
      Peter Conradi   J/K/R

H196 HOLMSTEN, Georg   1913 –
      Peter Holm   R
      Michael Ravensberg

H197 HOLZ, Arno   1863 – 1929
      Bjarne P. Holmsen   R
      (mit Johannes Schlaf)

H198 HOLZINGER, Dorothea   19o9 –
      Dorothea Zeemann   R

H199 HOMANN, Walter   1887 –
      Moritz von Birkenburg   Ph

H2oo HOMBERG, Bodo   1926 –
      Christian Collin   R

H2o1 HONNEF, Joachim   1943 –
      Dave Jackson   W
      John Reno

H2o2 HOOP, Edward   1925 –
      Paul Henricks   K

H2o3 HOPPE, Hermann   19o8 –
      Hermann Woller   J

H2o4 HOPPE, Sigrid
      Lara Stanford   R

H2o5 HOPPE, Ulrich
      Gus Hallow   E/H

H2o6 HORBACH, Michael   1924 – 1986
      Michael Donrath   R

H2o7 HORBACH, Ursula (geb. Schaake)   1935 – 1986
    Christa Bach   R
    Alexandra Cordes
    Jennifer Morgan
    Ursula Schaake

H2o8 HORN, Detlev   1951 –
    Detlev G. Winter   SF

H2o9 HORN, Erika   1911 – 1966
    Erika Masur   J
    Erika Theben

H21o HORN, Robert W.
    F. R. Nord

H211 HORSCHELT, Theodor   1919 –
    Henry Bogat   A/K
    Mario Carrol
    Pit Comber
    Jerry Cotton (VP)
    Loftus White

H212 HORSTMANN, Bernhard   1919 –
    Stefan Murr   R/K

H213 HOYER, Galina von   1898 –
    Alja Rachmanowa   R

H214 HRDINKA, Michael
    Frederic Collins (VP)   H
    Brian Elliot (VP)
    Robert Lamont (VP)
    Frank de Lorca (VP)

H215 HRUSCHKA, Anni
    Erich Ebenstein

H216 HUBER, Armin Otto   1914 – 1977
    Armin Frank   A
    Fred Larsen
    Achim F. Strubberg

H217 HUCH, Ricarda   1864 – 1947
    Richard Hugo   R

H218 HÜBLER-WILHELMI, Charlotte   19o8 –
    Helma Wilhelmi   J/R

H219 HÜBNER, Else   1928 –
    Else Deuse   J

H22o HÜBNER, Horst W.
    Ringo Clark   A/H/K/SF/W
    Steve Cooper (VP)
    Jerry Cotton (VP)
    P. Eisenhuth
    Carter Flynn
    Benito Martinez (VP)
    Charles McKay (VP)
    Jake Ross
    Norman Thackery (VP)

H221 HÜBNER, Jakob   1915 –
    Herbert Konrad   R

H222 HÜBNER, Paul Friedrich   1915 –
    Paul Friedrich   R

H223 HÜLSEN, Ilse von   1893 –
    Ilse Reicke   J/K/R

H224 HÜLSENBECK, Richard   1892 – 1974
    Charles R. Hulbeck   R

H225 HÜMPEL, Elke   1914 –
    Berte-Eve Minden   J/R

H226 HÜTTNER, Doralies   1923 –
    Lisa Dorn   J/R

H227 HUFF, Ursula
    Francine Dawson   R

H228 HUG, Ernst-Walter   1952 –
        R. Hugh   R

H229 HUNDSDORFER, Gerhard
        Frederic Collins (VP)   H/R
        Brian Elliot (VP)
        Ann Farrington
        Sebastian Holzner (VP)
        Frank de Lorca (VP)

H23o HUNGERBÜHLER, Eberhard   1938 –
        Felix Huby   J/K/R
        Christopher Knock

H231 HUPPERTZ, Margot   1935 –
        Gigi Martin   R

H232 HURT, Rolf   19o4 –
        Rotislaw von Sumarow   R

H233 HUTZINGER, Theresa   19o8 –
        Resa Voggenberger   J/R

Ioo1 IBERER, Erika   19o6 – 1984
    Erika Beigel   J

Ioo2 ICKES, Johannes   1896 – 1966
    Hanns Marschall   K/R

Ioo3 ICKES, Paul   1889 –
    Mark Burns   K/R

Ioo4 IDE, Heino   1913 – 1964
    Henry Berry   A/K/W
    Eddy Colings (VP)
    Bill Gray

Ioo5 IHERING, Georg Albrecht von   19o1 –
    Georg Ring   J/R

Ioo6 ILGERT, Beate   1953 –
    Beate Pröbsting   R

Ioo7 ILLGNER, Wolfgang
    Ralph Serra

Ioo8 ILMER, Walther   1926 –
    Claude Morris   K/W
    Ralph M. Walters

Ioo9 IMESCH, Ludwig   1913 –
    L. Im Esch   R

Io1o INKIOW, Dimiter   1932 –
    Dimiter Janakieff   J

Jool JÄCKEL, Margarethe   1910 –
     Grete Adam   R
     Grete Adam-Jäckel

Joo2 JÄHNE, Gertrud
     Gert Rothberg (VP)   R

Joo3 JAGOUTZ, Olga Elisabeth   1925 –
     Olga Elisabeth von Altenburg   R
     Olga Elisabeth Alt-Sonneck

Joo4 JAHN, Dorothea   1888 –
     Thea Malten   J/R

Joo5 JAHN, Reinhard   1955 –
     Hanns-Peter Karr   J/K

Joo6 JAKSTEIN, Thyra (geb. Dohrenburg)   1898 – 1972
     Thyra Dohrenburg   Ü

Joo7 JAKUBCZYK, Ursula   1925 –
     Ursula Kuhn   J

Joo8 JANSEN, Erika (geb. Wille)   1903 –
     Erika Wieden   R
     Erika Wille

Joo9 JANTSCH-STREERBACH, Albert von 1891 –
     Albert von Streerbach   R

Jolo JANUS, Edda (geb. Rönckendorff)   1924 – 1989
     Edda Rönckendorff   R

Jo11 JEHLE, Alfons   1888 –
     Olaf Eljens   R

Jo12 JEIER, Thomas   1947 –
     Sheriff Ben   A/J/W
     Mark L. Thomas
     Mark L. Wood

Jo13 JENS, Walter   1923 –
       Walter Freiburger   R

Jo14 JESCHKE, Wolfgang   1936 –
       Abel Miser   SF/Ü
       Hansjörg Präger
       E. Senftbauer
       F. Stanya

Jo15 JEZEWSKI, Stanislaus von
       C. v. Falkenhorst   R

Jo16 JOHN, Friederike Christiane Henriette   1825 – 1887
       E. Marlitt   R

Jo17 JOHN, Friedrich Ludwig   1918 –
       F. L. Ferrer   R
       Andreas Seefelder
       Toni Wendhofer

Jo18 JOOST, Elisabeth   1898 – 1975
       Jonny Behm

Jo19 JOOST, Evelyn   1925 –
       Evelyn Peters   R

Jo2o JÜHLING, Joh.
       Robert Lossius
       William Taylor

Jo21 JÜNEMANN, Igna Maria   1892 –
       Igna Maria   R

Jo22 JUHNKE, Joe
       J. E. Shane   H/W
       Young E. Shane

Jo23 JUNG, Else   1895 – 199o
       Lisa Berghamer   J/R
       Else Lindemann

114

Jo24 JUNG, Hermann   1901 – 1988
        Erich von Ehrenfels-Meiringen   R

Jo25 JUNG, Johann Heinrich   1740 – 1817
        Johann Heinrich Jung-Stilling   R

Jo26 JUNG, Richard
        Gordon Young   W

Jo27 JUNG, Robert   1910 –
        Lorenz Amberg   R
        Allan G. Fortridge
        L. R. Roberts

Jo28 JUNGBLUT, Alice   1902 –
        Alice Gruner-Jungblut   R

Jo29 JUNGFER, Victor   1893 – 1964
        Victor Georg Jungherr   R

Jo3o JUNIKE, Rolf   1925 –
        Cornelia von Eschweg   R
        Ursula Fischer
        Petra Petersen
        Helga Richter
        Ina Ritter
        Ursula Stoll
        Karin Weber
        Helga Winter

Koo1 KABEL, Walther
    W. K. Abel   R
    Olaf K. Abelsen
    Walther Bekal
    W. K. Bel
    W. Belka
    Willi Belka
    W. K. Bell
    Karl Held (?)
    Kapitän William Käbler
    Waltraud Kebla
    W. K. Leba
    Wally Lebka
    W. Lensen
    Swea von Münde
    W. von Neuhof
    W. Neuhofer
    Walther Neuschub
    Max Schraut
    M. E. Schugge
    Karla Walther
    Käthe Wendt
    W. I. Zehlen

Koo2 KADOW, Manes   1905 – 1960
    A. MacOkay   SF
    Hermann Wodak

Koo3 KÄFER, Gabriele   1920 –
    Gabriele Dittmar   J

Koo4 KAESEN, Maria   1901 –
    Maria Mühlgrabner   R

Koo5 KÄSTNER, Erich   1899 – 1974
    Berthold Bürger   R
    Melchior Kurtz
    Robert Neuner

Koo6 KAFKA-HUBER-BRANDES, Sophie-Marlene   1943 –
    Sophie Brandes   J

Koo7 KAHLERT, Karl Friedrich   1765 – 1813
        Lorenz Flammenberg   Ph

Koo8 KAISER, Hans K.   1911 –
        Richard Oliver   J/SF
        R. J. Richard

Koo9 KAISER, Oscar   1885 –
        Franz von der Groth   R

Kolo KAISER, Walter   19o9 –
        Walter Gorrish

Ko11 KALBFUSS, Heinrich   1927 –
        Heinz Knipper

Ko12 KALLÄHNE, Günther
        Alex Robby

Ko13 KALMUCZAK, Rolf   ·   1938 –
        Joe Adler   A/H/J/K/R
        Claus Alden
        Thomas Alden
        Ralf Berger
        Don Boston
        Frank Burger
        Fred Burger
        Hal Burger
        Henry Burger
        Ralph Burger
        Red Burger
        John Cain
        Ray Carson
        Henry Carter
        Norbert Clausen
        Pat Clifford
        Cliff Collins
        Glenn Collins
        Christian Conradi
        Cliff Corner (VP)
        Jerry Cotton (VP)
        Cecil Count

Perry Dayton
Sefton Deal
Ralph Decker
Harry Delson
Cliff Dexter
Herb Diery
Mike Donner
Alec B. Dorn
I. Dorn
Frank Douglas
Lionel Dust
Sebastian Eich
Robert Falck
Hector Falk
Robert Falk
Pierre Farot
Helga Fechner
Claus Fellner
Jean-Pierre Ferrer
Henri Ferrier
Georg Fleiden
Tobby Hammer
Jörg Heldt
Martin Hillenburg
Bert Hillson
Norbert Hofberg
Udo Horsten
Pierre Jolas
Robbie Kellog
Robert Kellog
Thomas Kolber
Frank Lambert
Tony Lambert
Robert Loewen
Michael Martin
Phil Moreno
Thomas Ness
Tim Norden
Henry Orlik
Jens Orlik
Frank Orloff
Ted Owens

Fred Parker
Robert Paulsen
Fred Plogau
Ross Randall
Rolf Reiher
Simon Remple
Peter Schadek
Siggi Seon
Claus Stein
Sebastian Stern
Erik Stettner
Evan Surbank
Martin Tänzer
Peter Trenk
Allan Turner
Marcello Venerdi
Martin Vondrey
Thomas Wank
Tim Wells
Martin Welz
Stefan Welz
Thomas Welz
Michael Wilkow
Stefan Wolf
Bert Wolfgarten

Ko14 KALTENBERGER, Friederike   1926 –
    Franziska Berger   J

Ko15 KALTENBOECK, Johannes
    Fritz Holten

Ko16 KALZ, Elfriede   1912 –
    Renate Franken   R
    Leni Hagen

Ko17 KANIES, Gertie
    Beate Lenz   R

Ko18 KANN, Albrecht Peter   1932 –
    Peter Altenburg   J/K/W
    Al Cann

Peter Cann
Jerry Cotton (VP)
Frank Laramy
William Mark

Ko19 KANNENGIESSER, Gertrud   1897 –
     Hertha Uentze   R

Ko2o KANTOR-BERG, Friedrich   19o8 – 1979
     Friedrich Torberg   R

Ko21 KAPPEL, Gunter   1925 –
     Francoise Calette   A/R/W
     Francoise Chapelle
     Rex Conwell
     Pete Hiek
     Fred Patrick

Ko22 KAPPLER, Hanns-Walter   19o6 – 1983
     Ken Hayward   A/R/W
     O. W. Hilling
     Hannes Kemp
     Ines Korten
     Allan Scott
     K. Wengen-Berger

Ko23 KARDORFF, Huberta Sophie von   1921 –
     Uta von Witzleben   J/R

Ko24 KARLSDOTTIR, Maria   1935 –
     Helga M. Novak   J/R

Ko25 KARO, Helene   1889 –
     Lene Wenck   R

Ko26 KARRASCH, Alfred   1893 – 1973
     Alfred Amenda   R

Ko27 KARSTEN, Uwe
     Jerry Cotton (VP)   K/W
     Don Dexter
     Don Dolan

Mike Taylor

Ko28 KASBAUER, Sixta
      Maria Agnes Bauer   J/R

Ko29 KASCHNITZ-WEINBERG, Marie Luise von   1901 – 1974
      Marie Luise Kaschnitz   Ph/R

Ko3o KASHIN, Christiane   1935 –
      Christiane von Wiese   J

Ko31 KAUER, Friedl   1924 –
      Friedl Hofbauer   J/R

Ko32 KAUFFMANN, Maré   1897 – 1971
      Maré Stahl   R

Ko33 KAUFHOLD, ?
      Waco Cameron   W
      Waco Cannon

Ko34 KAUFMANN, Charlotte   – 1907
      Christine Leykam   R
      Herbert Stahl

Ko35 KAUS, Gina   1894 – 1985
      Andreas Eckbrecht   R

Ko36 KAUTER, Kurt
      Jos *Maria Rocafuerte*

Ko37 KAYSER, Anna   1885 – 1962
      Annie Hauserhoff   R

Ko38 KECKEIS, Gustav   1884 – 1967
      Johannes Muron   R

Ko39 KEGLER, Hans
      Karl Ludwig Reinhold

Ko4o	KEHL, Wolfgang	1954 –
	H. P. Busch	H/K/SF
	Robert Craven (PP)	
	Arndt Ellmer	
	Jeremy Hall	
	K. U. Hansen (mit K. Bultmann)	
	Hendrik Villard	
Ko41	KEILSON, Hans	19o9 –
	Benjamin Cooper	R
	Alexander Kailand	
Ko42	KEIM, Friedrich	1884 –
	Cliford Clure	A/J
	Mimbi	
	Chris Orlando	
Ko43	KELLER, Manfred	1921 –
	Fred Caveau	R
Ko44	KELLER, Marianne	
	Mabel Carter	R
Ko45	KELLY, Dan	1925 – 1987
	Debra Corney	R
Ko46	KEMPE, Alice (geb. Schwarz)	1916 –
	Alice Cardos	R
Ko47	KEPPLER, Gertrud	19o5 –
	Utta Kepler	R
Ko48	KEPPNER, Gerhard	193o –
	Oliver Niels	R
Ko49	KERN, Elfriede	19o3 –
	Elfriede Beyvers	R
Ko5o	KERNMAYR, Erich	19o6 – 1977
	Erich Kern	R

122

Ko51 KERNMAYR, Hans Gustl
    Thomas Leonhardt
    A. G. Miller

19oo –
R/Sach

Ko52 KERNMAYR, Marie Louise (geb. Fischer)
    Marie Louise Fischer

1922 –
J/K/R

Ko53 KESSLER, Helene
    Hans von Kahlenberg

187o –
R

Ko54 KETTEL, Paul
    Paul Karl Hornschu

1899 – 1977
J

Ko55 KIEHTREIBER, Albert Konrad
    Albert Paris Gütersloh

1887 – 1973
R

Ko56 KINAST, Leopold
    Lionel Reynolds

H

Ko57 KINAU, Johannes
    Gorch Fock

188o – 1916
R

Ko58 KINDLER, Otto
    Matthias Brandner
    C. E. Reldnik

19o5 – 1962
A/J/SF

Ko59 KIRCHHEIM, Karl Wilhelm
    Warnofried

Ko6o KIRSCH, Hans Christian
    Frederik Hetmann

1934 –
F/J/Ph/R/SF

Ko61 KIRSCHNER, Aloisia
    Ossip Schubin

Ko62 KITAMURA, Federica
    Federica de Cesco

1938 –
J/R

Ko63 KLÄBER, Kurt
    Kurt Held

1897 – 1959
J/R

Ko64 KLÄBER, Lisa (geb. Tetzner)   1894 – 1963
      Lisa Tetzner   J/R

Ko65 KLAGES, Victor   1889 –
      Victor Wyndheim   R

Ko66 KLAMMER, Karl   1879 – 1959
      K. L. Ammer   R

Ko67 KLAR, Randolf
      Ralph Clear   SF

Ko68 KLATT, Conrad   1904 –
      Eugen Mahnsfeld   J/K/R

Ko69 KLAUS, Michael   1952 –
      Manfred Lukas   R

Ko7o KLEFF, Theodor   1917 –
      Manfred von Dieken   J/R

Ko71 KLEIN, Dorothee   1948 –
      Dr. Stefan Frank (VP)   R
      Karin Graf (VP)
      Susanna Jonius
      Dorit Kastein
      Katrin Kastell (VP)

Ko72 KLEIN, Erika   1909 –
      Erika Klein-Wolken   J/R
      Amely Kort
      Erika Ziegler-Stege

Ko73 KLEIN, Fred (oder Fritz)
      Fred K. Elin   A/J/R
      Freddy Weller (VP)

Ko74 KLEIN, Gerhard
      Derek Hart   F

Ko75 KLEIN, Karl Friedrich   1898 –
    Charles Klein   R

Ko76 KLEINE, Erwin   1921 –
    Georg Donatus   J
    Friedrich Friedenhaus

Ko77 KLEINER-SCHÖNBECK, Marianne   1925 –
    Marianne Schönbeck   K/R

Ko78 KLEMME, Chris
    Jill Brady   R
    Michaela Hansen
    Chris Williams

Ko79 KLIEM, Heinz F.
    Otto Kühn (SP)   Ü

Ko8o KLIEMKE, Ernst
    Heinrich Nienkamp

Ko81 KLIMBURG, Hans-Ulrich von   1922 –
    Jürgen Gernot   K/R
    Axel Thinn

Ko82 KLING, Bernt   1947 –
    P. R. Jung   SF

Ko83 KLINGLER, Hermann   1921 –
    Ronald Ross   A/R
    Simon Sander
    Thomas Twelker
    Urban Ullmann

Ko84 KLINGLER, Maria   1932 –
    Marisa Bell   J/R
    Joan Christopher

Ko85 KLIPPEL, Hermann   1921 –
    Klaus Föhren   J

Ko86 KLOPFER, Wilhelmine   19o9 –
     Wilhelmine Corinth   R

Ko87 KLOSE, Erwin   1912 –
     Erwin P. Close   R

Ko88 KLOSTERMEYER, Anton   19oo –
     Heinz Tonyus   R

Ko89 KLUMBACH, Peter
     Peter W. Bach   SF

Ko9o KNAUSS, Robert
     Major Helders

Ko91 KNEIFEL, Hanns   1936 –
     Sean Beaufort   A/H/SF
     Alexander Carr
     Hivar Kelasker

Ko92 KNICKREHM, Hans   1923 –
     Dirks Burmester   R

Ko93 KNOBLOCH, Hilda   189o –
     Hans Knobloch   J/R
     Hilda Torthofer

Ko94 KNODT, Josef   1896 – 1976
     P. Jotkate   R
     Petrus Treveranus

Ko95 KNOLL, Ludwig   1912 –
     Alexander Bergk   K/R

Ko96 KNOP, Lydia   19o6 –
     Lydia Kath   J

Ko97 KNUTH, Peter Waldemar   1917 –
     Peter Wolfenberg   R

Ko98 KOBERT, Elli   1922 –
     Bettina Bensen   R

Ko99 KOBLINSKI, Hans-Joachim von   1921 –
       Bert Andreas   E/H/K/R/W
       J. H. Andreas
       Mark Baxter (VP)
       M. G. Braun (PP)
       John Cameron (VP)
       Jerry Cotton (VP)
       Brian Elliot (VP)
       John Fletcher
       Jim Kellog (VP)
       Dagmar von Kirchstein (VP)
       Kojak
       Gunnar Kolin
       Robert Lamont (VP)
       Frank de Lorca (VP)
       Benito Martinez (VP)
       Joe McBrown
       Frederick Nolan (SP)
       Angie Olson
       Jack Slade (VP)
       J. H. Wayne
       Liesl Zeller

K1oo KOBUSCH, Helmut   1929 –
       Barney Brooks   K
       Jerry Cotton (VP)
       Thomas B. Davies

K1o1 KOBUSCH, Joachim
       John Duncan   A/W
       Glenn Mortimer
       Gordon Nash
       Frederick Nolan (SP)
       Ted O'Brian

K1o2 KOCH, Edmund P.
       Piet van Eyk

K1o3 KOCH, Gerhard
       Jerry Cotton (VP)   K

K1o4 KOCH, Magda   1900 –
    Ada Halenza   R

K1o5 KOCH, Richard   1895 – 1970
    H. C. Nulpe (SP)   SF
    K. Richards

K1o6 KOCHANSKI, Eva (geb. Caskel)   1902 –
    Eva Caskel   R

K1o7 KOCHER, Hugo   1904 – 1972
    Heinrich Neckar   J

K1o8 KOCHER-ERB, Hedwig   1906 –
    Hedwig Erb   J
    Ursula Kemmler

K1o9 KOEBER, Elsbeth
    Elsbeth Isenbeck   R

K11o KOEBSEL, Eberhard   1906 – 1960
    Clemens Laar   R

K111 KÖCK, Ferdinand Anton   1929 –
    Ferdinand Anton   R

K112 KÖDELPETER, Hans E.
    Cedric Balmore   H/K
    Guy Brent
    Frederic Collins (VP)
    Jerry Cotton (VP)
    Brian Elliot (VP)
    Charles Fleming
    Peter Fleming
    Rex Gordon
    Frank de Lorca (VP)

K113 KOEGEL, Johannes   1918 –
    Henry King   R

K114 KOEHLER, Paul Oswald   1851 –
    Intrus

K115 KÖHLER, Rolf   1925 –
    Kenneth Stuart   K

K116 KÖHN-BEHRENS, Charlotte
    Viktoria Rehn   R

K117 KÖHR, Dietrich   1927 –
    Jerry Cotton (VP)   A/K
    Derrick Day
    Hobby Duke
    Sigismund Fröhlich
    Phil E. Sanders

K118 KÖLBL, Konrad   1912 –
    Conny Cöll   SF/W
    C. H. Kölbl

K119 KÖNIG, Hans H.   1912 –
    Henry van Dam   R

K12o KÖRNER, Heinz   1926 –
    W. Müller   R
    W. von Rotenburg

K121 KÖSTER-LJUNG, Hanna   1913 –
    Abi Menz   J
    Franziska Osten

K122 KÖSTLER, Gisela   1925 – 1983
    Gill Rosenberg   R

K123 KÖTHNER, Paul
    Der Brückner
    J. M. Nov
    Raphael

K124 KÖVARY, Georg   1922 –
    Eric Corda   J/R

K125 KOHLENBERG, Karl Friedrich   1915 –
    Benno Frank   J/R

K126 KOHLHOFER, Alexander
     Alexander Raxin

K127 KOHN, Seligmann (später:Friedrich Korn)
     F. Nork

K128 KOIZAR, Karl Hans	1922 –
Rolf Shark	A
K129 KOLATSCHEWSKY, Valerius	1898 –
Georg Schaeffner	R
K13o KOLB, Karl	1913 –
Alexander Wien	R
K131 KOLB, Ulrike	1942 –
Lilli Saar	R
K132 KOLPE, Max	19o5 –
Max Colpet	R
K133 KOPP, Wilhelm	
Ken Conagher	A/W
Davis J. Harbord	
K134 KOPPENBURG, Ellen	19o2 –
Ellen Steinbach	R
K135 KORING-SCHETTGEN, Hannelore	
Caroline Harper	R

K136 KORN, Friedrich (ursprüngl.:Seligmann Kohn)
     F. Nork

K137 KORN, Ilse	19O7 – 1975
Cornelia Holm	J
K138 KORNINGEN, Ann Tizia	1897 – 1976
Ann Tizia Leitich	R

K139 KOTTENRODT, W.
     Wilhelm Kotzde

K14o KOTULLA, Annemarie   1930 –
       Annemarie Czaschke   R
       Anna Zaschke

K141 KRAACK, Renate   1933 –
       Renate K. Luther   R

K142 KRABBE-FLOR, Liese-Lotte   1911 –
       Claude Flor

K143 KRÄMER, Armin
       Harriet Hawke   R

K144 KRÄMER, Karl Emerich   1918 – 1987
       André Forban   R
       George Forestier
       Georg Jontza
       Gerhard Rustesch

K145 KRÄMER, Peter
       Jerry Cotton (VP)   K/SF
       P. T. Hooker
       Cliff McCoy
       Peter Rudersberg
       Peter Theodor
       W. Todd

K146 KRAFT, Robert   1869 – 1916
       Fred Barker   A/SF
       Dr. Baxter
       Harry Drake
       Graf Leo von Hagen
       Knut Larsen
       R. Starke
       Harry Strong
       Dr. Warner

K147 KRAHNER, Karl   1902 – 1983
       B. W. Karka   K/R

K148 KRAMER, Gerhard   1904 –
       Robert Carpen   R

K149 KRAPP, Ernst   1906 –
    Ernest Singer   K

K15o KRATOCHWIL, Josef   1922 –
    Toddy Brett (SP)   W
    Lex Lane (SP)
    Gordon W. Murray

K151 KRAUSE, Evelyne   1943 –
    Evelyne Brandenburg   J/R/SF

K152 KRAUSE, Helga
    Hella Jlling   K

K153 KRAUSNICK, Michail   1943 –
    Rainer Wolf   J/SF

K154 KREBS, Alfred
    Glenn Lord (VP)   W

K155 KREIN, Daniela   1897 – 1986
    Johannes Langenfeld   J/R

K156 KREISEL, Heinrich   1898 – 1975
    R. Croixelles

K157 KRESSIG, Roland   1931 –
    Roland Galusser   R

K158 KRETZSCHMAR, Alex   1898 –
    Alex Alexander   J/R
    Erich Amborn

K159 KRETSCHMAR, Brigitte
    Lisa Hell   R

K16o KREUTER-TRÄNKEL, Margot   1929 –
    Agnes Stephan   J/R
    Margot Tränkel

K161 KREUTZER, Catherine   19o6 –
      Christiane Henriette   R
      Catherine Leander
      Käthe Metzner

K162 KRIESCH, Auguste von
      A. von Lenzburg

K163 KRILL, Hans Rudolf   1885 – 1964
      Hans Reimer   K/R

K164 KRINGS, Carl   19o4 –
      Olav Sölmund   J

K165 KRISTIANSEN, Annemarie (geb. Selinko)   1914 – 1986
      Annemarie Selinko   R

K166 KRIZKOVSKY, Hugo   19o5 –
      Hugo M. Kritz   K/R

K167 KROEGER, Willy
      Rolf Hagen
      Thomas Lee

K168 KRÖHNKE, Friedrich   1956 –
      Konni Kleymann   R

K169 KRÖHNKE, Margarete (geb. Kubelka)   1923 –
      Margarete Kubelka   R

K17o KROHNE, Helmut   1953 –
      Peter Crohn   SF

K171 KROLLPFEIFFER, Hannelore   1924 –
      Hannelore Holtz   J/R

K172 KRÜGER, Bruno   19oo –
      B. W. Coster   A/K
      Rick Harrington

K173 KRÜGER, Harry   19o1 – 1985
      Stephan Andreas   R

K174 KRÜGER, Ingeborg
    Marianne Burger   R

K175 KRUEGER, Werner   1901 –
    Werner de Coti   R

K176 KRÜSS, James   1926 –
    Markus Polder   J/R
    Felix Ritter

K177 KRUEZMANN, Georg   1903 – 1985
    Alwin Kreutzenberg   R

K178 KRUG, Franz
    Jack Morton (VP)   W

K179 KRUNKE, Hans-Werner   1941 –
    Frank Dohl   R

K180 KRUSE, Max   1921 –
    Katharina Simon   J/Ph/R

K181 KUBIAK, Hanns-Karl   1915 – 1981
    Hanns Kuby   R

K182 KUBIAK, Michael   1948 –
    Robert Lamont (VP)   H/Ü
    Frank N. Stein

K183 KUBY, Erich   1910 –
    Alexander Parlach   R

K184 KÜFER, Bruno   1863 – 1915
    Paul Scheerbart   Ph/R

K185 KÜGLER, Dietmar   1951 –
    Ken Adams   A/H/J/K/Sach/W
    John Benteen (VP)
    Ward Bros (VP)
    Steve Cooper VP)
    Tom Frisco (VP)

John Gilmoor
John Gray
Don Green
John Grey
Stephan Hamberg
Steve Hamberg
Jack Slade (VP)
Alexander Stevenson

K186 KÜHL, Barbara	1939 –	
Barbara von Stärk	J	
K187 KUEHNELT-LEDDIHN, Erik von	19o9 –	
Francis S. Campbell	R	
Chester F. O'Leary		
Tomislav Vitezovic		
K188 KÜHNERT-SCHOSTACK, Renate	1938 –	
Renate Schostack	R	
K189 KÜNZELL, Berta	1899 –	
Berta Schmidt-Eller	J/R	
K19o KUGELMÜLLER-VON TESSIN, Brigitte	1917 –	
Brigitte von Tessin	R	
K191 KUHLEMANN, Peter	1913 –	
Peter von Aukamp	J/R	
Ekke Nekkepen		
K192 KUHNER, Herbert	1935 –	
Frederick Hunt	R	
K193 KUHNERT, Jörg		
John Barrymore	H	
Ron Devil		
Mike Shadow (VP)		
H. P. Usher (VP)		
K194 KUMMERT, Wolfgang	1924 –	
Simon Ruge	J	

K195 KUMMING, Waldemar   1942 –
     Munro R. Upton (mit W.Ernsting,   SF
     W.Reinecke, W. Scholz, J. vom Scheidt)

K196 KUMPMANN, Karl
     Heinrich Nelson

K197 KUNKEL, Klaus
     Jerry Cotton (VP)   K

K198 KUNZ-FRÖMEL, Margarete   1909 –
     Margarete Friebelung   R

K199 KUNZE, Rolf   1902 –
     John Forster   R
     Rolf Haka

K2oo KUROWSKI, Franz   1923 –
     Karl Alman   J/K/R/Sach
     Heinrich H. Bernig
     Rüdiger Greif
     Franz K. Kaufmann
     Volkmar Kühn
     Jason Meeker
     Gloria Mellina
     Joh. Schulz

K2o1 KURTH, Hanns   1904 – 1976
     Friedr. Burghardt   A/R/Sach/SF
     Jean Baptiste Delacour
     Manfred J. Delacour
     Helmut Felmer
     Greta Gaberg
     Helen Hester
     Jan Koggen
     Gaston Lafit
     Tom Larsen
     (T.) K. Merten
     Gertrud v. Meyen
     Heinz Offermann
     Ricardo Olives
     Peter Petersen

Ernst Ludwig Reis
Greta Rothe
Erika Sellner
R. A. Veller
E. Weilenmann
Marion Wiebel
John Worth
C. C. Zanta
Martina Ziemann

K2o2 KURTZE, Werner
     Jerry Cotton (VP)   K

K2o3 KURTZ-SOLOWJEW, Merete   1906 –
     Merete von Taack   J

K2o4 KURZ, Carl Heinz   1920 –
     Carl August Brevis   J/K/R

K2o5 KURZ-GOLDENSTEIN, Marie-Thérèse   1936 –
     Marie-Thérèse Kerschbaumer   R

K2o6 KUSCHE, Lothar   1929 –
     Felix Mantel   R

K2o7 KUSENBERG, Kurt   1904 – 1983
     Hans Ohl   Ph/R

K2o8 KUTHE, Eugen   1898 –
     Fred Allan   A/K/R/Ü
     Horst Uden

Loo1 LACHER, Herbert E.
    Bert Rider   W

Loo2 LAEDTKE, Ingrid   1941 –
    Pamela Parker   K/R

Loo3 LÄMMLE, Rudolf
    Heinrich Inführ

Loo4 LAFONTAINE, August Heinrich Julius   1758 – 1831
    Gustav Freier   R

Loo5 LAGERSTROEM, Kamilla von   1906 –
    Celia Corvin   J/R

Loo6 LAKOTTA, Anneliese   1920 –
    Consilia Maria Lakotta   J/R
    Ancilla Regis

Loo7 LAMP, Petra   1959 –
    Petra Teichert   J

Loo8 LANGE, Hans O.   1901 –
    René Eguisheim   K

Loo9 LANGE, Karl Ernst Philip
    Philip Galen

Lolo LANGHANS-MAYNC, Susy   1911 –
    Susy Maync   R

Lo11 LANSBURGH, Werner   1912 – 1990
    Ferdinand Brisson   R

Lo12 LASSWITZ, Kurd   1848 – 1910
    Jeremias Heiter
    L. Velatus

Lo13 LATURNER, Hans Jürgen   1921 – 1970
    L. A. Turner   J/K

Lo14 LAUSSERMAYER, Roman   19o1 –
     Roman Romay   J/R

Lo15 LAUE, Alexander
     Cail Hoover   H
     Dan Shocker (PP)

Lo16 LAUXMANN, Loni   1895 – 1972
     Rainer Neuenkirch   R
     Sixt Tober

Lo17 LAVAGNINO-JACKY, Helene   19o4 –
     Helene Jacky   R

Lo18 LAXANGER, Gustl   19o2 –
     Scholastika Holzmayr   R

Lo19 LEBER, Emil   1913 –
     Frank Lee   SF/W
     Dolf Montanus

Lo2o LEBER, Gerda   1918 –
     Gerda Hagenau   J/R

Lo21 LEBER, Rudolf   1915 –
     Stephan Hermlin   R

Lo22 LE BLANC, Thomas   1951 –
     Martin Hollburg (SP)   SF

Lo23 LECHLE, Otto   19o4 – 1984
     Otto Roland   R

Lo24 LEDIG, Gerhard
     Otto Kühn (SP)   Ü

Lo25 LEDWOCH, Bert
     Jerry Cotton (VP)   K

Lo26 LEHMANN, Arthur-Heinz   19o9 – 1956
     A. H. Lester   R
     Peter Sell

Lo27 LEHMANN, Hans Friedrich   19o4 –
      Hans Frank Friedrichs   R
      Hans F. L. Usdermark

Lo28 LEHMANN, Hans-Rudolf   1944 –
      Lukas Hartmann   R

Lo29 LEHMANN, Kurt   19o8 –
      Konrad Merz   R

Lo3o LEHMANN, Margarete   19o7 –
      Margarete Hackebeil   R

Lo31 LEHMANN, Rita
      Clarissa Carma   R

Lo32 LEHR-KOPPEL, Uta   1936 –
      Uta Koppel   J/R

Lo33 LEIBER, Elisabeth
      Ellen Ellen

Lo34 LEIBL, Ernst   1895 – 1982
      Bill Sterne   R

Lo35 LEIDING, Frieda   1894 –
      Irene du Bois   K/R
      Jean du Bois

Lo36 LEINS, Isabel   1912 –
      Isabel Hamer   R

Lo37 LEITNER, Hildegard   19o3 –
      Delia Sturm   R

Lo38 LEITNER, Rudolf   1889 – 1965
      Hans Hütten   R

Lo39 LEMKE, Karl   1895 – 1969
      Fr. Massan   R
      Charles Scott

Lo4o LENTZ, Mischa   1941 –
       Michaela Bach   R
       Sylvia Behring

Lo41 LEOPOLD, Günther   1929 –
       Ronald Potter   J

Lo42 LEPKE, Frieda-Hertha
       Christa Linden   J/R

Lo43 LERBS-LIENAU, Renate   1914 –
       Renate Lienau   J/R

Lo44 LERCH, Hansruedi   1942 –
       Franz Kaschowski   R

Lo45 LERF, Urs   1945 –
       Hans Geist   K

Lo46 LETTENMAIR, Josef   1899 –
       J. M. Lingard   R
       Rainer Rauth

Lo47 LEUKEFELD, Peter   1937 – 1983
       Daniel Mann   R
       Michael Widborg

Lo48 LEWANDOWSKI, Herbert   1896 –
       Lee van Dovski   R/SF

Lo49 LEWIN, Georg
       Gero Terzin

Lo5o LEWIN, Hannah-Miriam   1964 –
       Miriam Margraf   R

Lo51 LIEBERMANN VON SONNENBERG, Jutta   1928 –
       Jutta von Sonnenberg   R

Lo52 LIECHTI-MOSER, Rose-Marie   1954 –
       Romie Lie   R

Lo53 LIEDER, Herwig   1925 –
         Rolf Hermes   J/R
         Ralf Neugebauer

Lo54 LIEHR, Heinz   1917 –
         H. H. Bär   E/R
         Rico di Positano

Lo55 LIEPMAN, Heinz   1905 – 1966
         Jens C. Nielsen   R

Lo56 LIERSCH, Rolf Werner   1943 –
         Chester Henderson   SF
         Ed La Rocca
         Arno Zoller

Lo57 LIESEN, Heinz   1903 –
         Michael Lisenius   K/R

Lo58 LIGENSA, Elfie   1949 –
         Stefanie van Berg   R
         Andrea Martini
         Susanne Nolden
         Corinna Winter

Lo59 LINCKENS, Paul H.   1940 –
         Hendrik P. Linckens   SF

Lo6o LINDE, Paul   1877 –
         Linde Elson   R

Lo61 LINDNER, Hedda   1899 – 1978
         Martina Koldewey   R

Lo62 LINSINGER, Pert   1897 – 1977
         Xaver Lachnit   R
         Pert Lend
         Elisabeth Lindner
         Karl Lindner

Lo63 LIPKE, Erik-Alfons   1900 –
         Erik-Alfons Lichtenau   R

Lo64 LIPP, Herbert   1886 –
  Kurt Hael   R

Lo65 LIPP, Wolfgang   192o –
  Frank Lissar   J

Lo66 LISSACK, Lisa
  Lisa Lyssac   J

Lo67 LIST, Ellen Erna   1898 –
  Alix von Buchen   K/R

Lo68 LIST, Horst   1924 – 1976
  John D. Carrigan   A/J/K/R
  Horst Friedrich
  Ernst Heiter
  Harvey F. Lime
  Frédéric H. Lorca
  John D. Shenley

Lo69 LIST, Jürgen E.   1926 –
  Jerry Cotton (VP)   A/K
  Jerry E. Cunning
  F. Stratford Floyd
  Kelter A. Jackson

Lo7o LIXFELD, Ursula   1937 –
  Una Marsal   J/R

Lo71 LOCHER-WERLING, Emilie 187o –
  Lisi Meier   R
  Annelie Witzig
  Gritli Wuest

Lo72 LÖB, Wilhelm Hermann 19o8 –
  Anton Schwab   R
  Hanns Peter Stolp
  Philipp Weller

Lo73 LÖBNER-FELSKI, Erika 1922 –
  E. Karlowna   R

Lo74 LÖBSACK, Wilhelm
    Frank Kenney   K/SF
    Jo Marson

Lo75 LOEFF, Friedel (geb. Heise)   1906 –
    Georgia Carell   J/K/R

Lo76 LÖFFELMANN, Franz   1926 –
    Eric Balten   A/K/R

Lo77 LÖHLEIN, Herbert   1900 – 1987
    C. Astor   A

Lo78 LÖHNDORFF, Ernst F.   1899 – 1976
    Peter Dandoo   A

Lo79 LÖHR, Adolf   1889 –
    A. Frohmut   J

Lo80 LOERKE, Georg   1888 – 1951
    Kopernikulus

Lo81 LOEST, Erich   1926 –
    Hans Walldorf   K/R
    Waldemar Naß

Lo82 LOEWENGARD, Katrin
    Martha Albrand   R
    Katrin Holland

Lo83 LÖWENSTEIN-WERTHEIM-FREUDENBERG, Wolfram zu 1941 –
    Wolfram zu Mondfeld   J/R/Sach

Lo84 LOEWIS OF MENAR, Erika von   1902 –
    Erika Leffler   R

Lo85 LOHAUSEN, Karl A.   1907 –
    Carl Calcum   SF

Lo86 LOHMEYER, Rolf
    Jerry Cotton (VP)   K

Lo87 LOMLER, Friedrich Wilhelm
    Friedrich Laodes

Lo88 LOOFS, Friedrich A.
    Armin Steinart

Lo89 LORENZEN, Annemarie   1918 –
    Annemarie Weber   R

Lo9o LOSSOW, Else von
    Else von Hollander-Lossow   R

Lo91 LOTHRINGER, Anne u. Fred   1908 – /
    Anne Day   A/Ph/R
    Anne Day-Helveg

Lo92 LUCKENWALD, Hans
    Deez Anders

Lo93 LUDWIG, Helmut   1930 –
    Harro Lutz   J/K/R

Lo94 LÜDDECKE, Werner Jörg   1912 – 1986
    Robert Crain   R

Lo95 LÜDEMANN, Hans-Ulrich   1943 –
    John U. Brownman   J/K/R

Lo96 LÜTGE, Karl
    K. L. Nordhausen

Lo97 LÜTZENBÜRGER, Johanna   1924 –
    Hanna Ernst   J/R

Lo98 LUIF, Kurt   1942 –
    James R. Burcette   H/SF
    Neal Davenport
    Claus Hartmann
    Frank de Lorca (VP)
    Jörg Spielmanns

Lo99 LUKAS, Josef   1899 –
        Frank Schweizer   R

L1oo LUNDHOLM, Anja   1918 –
        Ann Berkeley   R

L1o1 LUPESCU, Valentin   19O6 – 1983
        Valentin Heinrich   R

L1o2 LUTHER, Otto Jens   1918 – 1983
        Jens Rehn   R/SF

L1o3 LUTZ, Berthold   1923 –
        Thomas Burger   J

L1o4 LYS, Gunther   19o7 –
        Kay Jens Petersen   K/R

Moo1 MAAG, Georg
    Steve McMillan   W

Moo2 MACKENROTH, Albert   1932 –
    Bert Macks   J

Moo3 MADEL, Walter
    Walter den Marl

Moo4 MÄHRLEIN, Gottlieb
    Arn Munro   SF

Moo5 MÄNSS, Gisela   1943 –
    Gisela Menz   J/R

Moo6 MAGYARI, Kriemhild   1939 –
    Kriemhild Hildebrandt   R

Moo7 MAHN, Anny   1838 – 1919
    Anny Wothe   R

Moo8 MAHN, Klaus   1936 –
    Kurt Mahr   SF
    Cecil O. Mailer

Moo9 MAHN, Traute
    John Cameron (VP)   H/K/R
    Cliff Corner (VP)
    Robert Lamont (VP)
    Rebecca LaRoche (VP)
    Kay Robinson
    Yvonne Uhl

Mo1o MAHNER-MONS, Emma   1879 –
    Emma Nuß   R
    Emmerich Nuß

Mo11 MAHNER-MONS, Hans
    Hans Possendorf   K

Mo12 MAIER, Manfred   1949 –
    Manfred Mai   J/R

Mo13 MALY, Anton Johann	1884 –	
Robert Storr	R	
Mo14 MANDL, Harald	1933 –	
Matthias Mander	R	
Mo15 MANDT, Georg	1892 –	
Peter Meinhardt	R	
Mo16 MARCZIK, Edeltrud	1923 –	
Trude Marzik	R	

Mo13 MALY, Anton Johann 1884 –
    Robert Storr R

Mo14 MANDL, Harald 1933 –
    Matthias Mander R

Mo15 MANDT, Georg 1892 –
    Peter Meinhardt R

Mo16 MARCZIK, Edeltrud 1923 –
    Trude Marzik R

Mo17 MARDICKE, Fritz 1895 – 1966
    Wolfgang Marken R
    Ludwig Osten (SP)
    Werner Spielmann

Mo18 MAREK, Kurt W. 1915 – 1972
    C. W. Ceram R/Sach

Mo19 MARGL, Ludwig 19o2 – 1977
    Ludwig Forstner R

Mo2o MARHEINEKE, Maria 1873 – 1965
    M. Marnek R

Mo21 MARTIN, Hans
    Hans Nitram

Mo22 MARTIN, Karl
    Karl Rober

Mo23 MARTIN, Thomas Hector
    Martin Thomas

Mo24 MARTINEK, Raimund 19o4 – 1972
    Raimund Martin J/R
    Raoul Martinée

Mo25 MARTINI, Emil de 19o2 – 1969
    Erich Marten R
    Karl Stiller

148

Mo26 MARX, Michael   194o –
    Max Michel   R

Mo27 MARZINEK, Wilhelm   1924 –
    Jeff Briester (SP)   K/W
    Cherry Chassmen
    Jeff O'Brien

Mo28 MASCHLANKA, Annemarie   1924 –
    Annemarie Krapp   J

Mo29 MAUCKNER, Walter G.
    George W. Burton   H/K
    Jerry Cotton (VP)
    Georges Gauthier
    Waldo Marek
    Cora Shapiro

Mo3o MAUERHARDT, Rolf
    Rolf Erhart   A/W
    Wolf Erhart
    Rolf Murat (VP)
    Thomas Rommy
    Jack Slade (VP)
    Garry Thook

Mo31 MAURER, Kurt
    Mark Baxter (VP)   H/K/W
    Bruce Coffin
    Robert Lamont (VP)
    Jack Slade (VP)

Mo32 MAXIMOVIC, Gerd   1944 –
    Maxim Bremer   SF
    Thorn Forrester (VP, mit H. J. Alpers)
    Heinrich Luntz

Mo33 MAY, Karl   1842 – 1912
    Captain Ramon Diaz de la Escosura   A/R
    M. Gisela
    Karl Hohenthal
    D. Jam

Prinz Muhamel Latréaumont
Ernst von Linden
P. van der Loewen
Fritz Perner
Emma Pollmer

Mo34 MAYER, Christian Anton   1922 –
    Carl Amery   F/R/Sach/SF

Mo35 MAYER, Hannelore (geb. Kofler)   1929 –
    Hannelore Valencak   Ph/R/SF

Mo36 MAYER, Helly   19o3 –
    Helly Petersen   R

Mo37 MAYER-TREES, Hildegard   1918 –
    Hero Matré   R/SF

Mo38 MECKE, Maria Renée   1892 – 1959
    Maria Renée Daumas   R

Mo39 MECKEL, Eberhard   19o9 – 1969
    Peter Sixt   R

Mo4o MEDEM, Ida von   1836 – 1922
    Joachim von Dürow

Mo41 MEDING, Oskar
    Gregor Samarow

Mo42 MEHL, Arnold   19o4 – 1969
    Günther German   J/R

Mo43 MEISCHKE, Wolfgang (oder Günther)
    G. Peter Posse   K

Mo44 MEISNER, Michael   19o4 –
    Christian Berthier   J/R
    Heinz Gnade

Mo45 MEISTER, Friedrich
      Friedrich von Baruth
      Friedrich Berner
      Filipp Moreno
      F. M. Victor

Mo46 MELGUNOFF, Alexander von
      A. Haém
      Dan Morris

Mo47 MELHARDT, Trude   1892 –
      Maria Gotike

Mo48 MENDELSSOHN, Peter de   1908 – 1982
      Carl Johann Leuchtenberg   R

Mo49 MENTZEL, Georg   1906 –
      George Melton   A/K/W
      George Parker

Mo5o MENZEL, Roderich   1907 –
      Michael Morawa   J/R
      Clemens Parma

Mo51 MENZER, Clara   1886 –
      A. Menter   R

Mo52 MERBT, Martin   1924 –
      Martin Selber   J/R

Mo53 MESCHKE, Hildegard   1908 –
      Hilde Ahemm   R

Mo54 METZ, Kurt C.   1921 – 1985
      Alexander Calhoun   K/SF/W

Mo55 MEYER, Alfred Richard   1882 – 1956
      Munkepunke   R

Mo56 MEYER, Arthur Emanuel   1894 –
      Arthur Manuel

Mo57 MEYER, Friedrich-Albert   1883 – 1967
     F. A. Ringer   J

Mo58 MEYER, Gustav   1868 – 1932
     Gustav Meyrink   Ph/R

Mo59 MEYER, Jutta   1934 –
     Jutta Manthey   J
     Jutta Schreiber

Mo6o MEYER, Paul E.   1894 – 1966
     Wolf Schwertenbach   K/R

Mo61 MEYER, Wilhelm-Friedrich   1762 – 1829
     Wilhelm-Friedrich von Meyern   SF

Mo62 MEYER-BROCKMANN, Henri   1912 –
     H. M. Brockmann   R

Mo63 MEYER-ESTNER, Werner
     Marcus Ellmer   K

Mo64 MEYER-KOENIG, Erna
     Arne Rex

Mo65 MEYER-PAYSAN, Dieter   193o –
     Michael Tesch   R

Mo66 MIALKI, W.
     Werner Masovius

Mo67 MICHAEL, Petra
     Linda Morrison (PP/mit R. Michael)   H

Mo68 MICHAEL, Rolf   1948 –
     Robert Lamont (VP)   F/H/W
     Linda Morrison (PP)*
     (auch mit Petra Michael)
     Jack Slade (VP)
     Erlik von Twerne

Mo69 MICHAELIS, Paul
    Lucifer

Mo7o MICHALEWSKY, Nikolai von   1931 –
    Bo Anders   A/J/R/SF
    Mark Brandis
    Victor Karelin
    Nick Norden

Mo71 MIEHE, Ulf   194o – 1989
    Robert Artner (mit W. Ernsting)   SF

Mo72 MIELKE, Franz   1922 –
    Franz Fabian   K/R

Mo73 MIELKE, Otto   19o6 –
    Hermann Rink   A/K
    Otto M. Wendelburg

Mo74 MIELKE, Thomas R. P.   194o –
    Michael C. Chester   F/H/K/SF
    Cliff Corner (VP)
    Bert Floorman VP)
    Henry Ghost (VP)
    Roy Marcus
    Marc McMan
    Marcus T. Orban
    Mike Parnell
    John Taylor (VP)

Mo75 MIER, Ednor
    Edna Meare   R

Mo76 MIESS, Eva   193o –
    Eva Lubinger   R

Mo77 MIKURA, Gertrud (geb. Ferra)   1923 –
    Vera Ferra(-Mikura)   J/R

Mo78 MILDNER, Theodor   19o2 – 1983
    Martin Minor Theuer   R

Mo79 MILLIES, Helmut   1923 –
     Helm Greenow   A/K
     Helmut Gronau
     Holm Mallieux

Mo8o MIRO, Franz   1876 –
     A. Klein-Rossel   K

Mo81 MISCHWITZKY, Holger   1942 –
     Rosa von Praunheim   R

Mo82 MODICK, Klaus   1951 –
     Lukas Domcik   R

Mo83 MOELLWITZ, Gino F. von
     Gino Forst

Mo84 MOERSBERGER, Rosefelicitas   1862 – 1938
     Felicitas Rose   R

Mo85 MOES, Eberhard   19o3 –
     Eberhard Monorby   R

Mo86 MOHR, Adrian
     Joachim von Roedern

Mo87 MOLL, Rudolf   1925 –
     Erich Fiala   R
     Fred Holm
     Rud. Mahr

Mo88 MOLSNER, Michael   1939 –
     Bill Alamo (VP)   K/W
     Robert Cameron
     John Drake (VP)

Mo89 MOMMERS, Helmuth W.   1943 –
     Robert Arol   SF/Ü
     Adam Rice (mit E. Vlcek)

Mo9o MORAWETZ, Hedwig   19o6 –
     Hedwig Mora   R

Mo91 MOREL, Hermann   1885 –
       Hermann Jost   J/W

Mo92 MORITZ, Paul   1916 –
       Jens Doorn   R

Mo93 MORKEPÜTZ-ROOS, Erna   1924 –
       Ernestine Moor   R

Mo94 MORNAU, Willi   1921 –
       Wilja Mornau   R

Mo95 MORRIS, Gerda   1893 – 197o
       Gerda Gymir   R
       Gerda Sonama

Mo96 MORZFELD, Erwin   1923 –
       Robert Blayn   R

Mo97 MÜGGENBURG, Hans J.
       Hexer Stanley   H

Mo98 MÜHE, Werner   19o6 –
       Peter Dammann   J/R

Mo99 MÜLLER, Artur   19o9 – 1987
       Arnolt Brecht   R
       Reinhold Georg

M1oo MÜLLER, Dorothee (geb. Drenckhan)   1935 –
       Dorothee Dhan   J/R

M1o1 MÜLLER, Egbert-Hans   1923 –
       Reinhard Gröper   R

M1o2 MÜLLER, Ernst Lothar   189o – 1974
       Ernst Lothar   R

M1o3 MÜLLER, Fritz
       Fritz Reinel

M1o4 MÜLLER, Gabriele
    Gabriele Miller   K

M1o5 MÜLLER, Gottfried   1934 –
    Paulus Herzog   R

M1o6 MÜLLER, Heinz
    Hugh Miles

M1o7 MÜLLER, Helmut   1914 –
    Hal Miller   K

M1o8 MÜLLER, Hermann   1911 –
    Lon Stephens   J

M1o9 MUELLER, John Henry
    Tom Morgan   A

M11o MÜLLER, Katharina   1935 –
    Katharina Hess   R

M111 MÜLLER, Klaus   1922 –
    Stephan Gräffshagen   J/R

M112 MÜLLER, Kurt   1895 – 1982
    Percy Brook   K/W
    William C. H. Collins
    Jack Fenton
    Hermann Hilgendorff
    Jack Kelly
    H. C. Mueller
    William Tex

M113 MÜLLER, Maria   1914 –
    Maria Lussnigg   J/R

M114 MÜLLER, Norbert   1941 –
    Thorsten Bergfeld   R

M115 MÜLLER, Otto
    Otto Glösa   K

M116 MÜLLER, Paul Alfred   1901 – 1970
      Heide Heim   A/F/K/R/SF
      Rolf Hermes
      Freder van Holk
      Jan Holk
      Bert F. Island (VP)
      Werner Keyen
      G. Maurer
      Alfred Müller
      A. Müller-Markkleeberg
      P. A. Müller-Markkleeberg
      P. A. Müller-Murnau
      Lok Myler
      I. V. Steen (auch mit H. K. Schmidt)
      Paul Stocker

M117 MÜLLER, Wolfram   1921 –
      Wolfram Ursprung

M118 MÜLLER-GUTTENBRUNN, Roderich
      Dietrich Arndt
      Roderich Meinhart

M119 MÜLLER-HÄRLIN, Wolfgang   1940 –
      Manuel Thomas   R

M120 MÜLLER-HESS, Katharina   1935 –
      Katharina Hess   R

M121 MÜLLER-JUNGBLUTH, Ulrich   1911 –
      Ulrich Herbert Jungbluth   R

M122 MÜLLER-MAREIN, Josef   1907 – 1981
      Jan Molitor   R/Sach

M123 MÜLLER-REYMANN, Werner   1936 – 1986
      Chet Rymann   W

M124 MÜLLER-TANNEWITZ, Anna   1899 –
      Stine Holm   J/R
      Anna Jürgen

M125 MÜNCH, Hellmut-Hubertus   1924 –
     Hello Ambos (VP)   A/J/K/R/W
     Hal Brendt
     Hanns Hart (VP)
     Pit Peters (VP)
     Hannes Reiterlein

M126 MÜNCHHAUSEN, Börris v.   1874 – 1945
     H. Albrecht   R

M127 MÜNCHOW, Heinz   1929 –
     Torsten Kösselin   J

M128 MÜNCHOW, Vera   1943 –
     Vera Anders   J

M129 MÜNSTER, Clemens   1906 –
     Markus Schröder   R

M130 MUHRMANN, Wilhelm   1906 –
     Arlette Antibes   K/R
     Aja Berg
     Alrun von Berneck
     R. A. Dieschen
     Wolfgang Förster
     Pit van Loon
     Eberhard Muri
     Daisy Osterburg
     Jutta Steiner
     Willem van Yzeren-Loon

M131 MUSCHG, Hanna   1939 –
     Hanna Johansen   R

Noo1 NADOLNI-SCHIEFERDECKER, Barbara   1921 –
        Rana Barol   R
        Henni Peters

Noo2 NAGEL, Herbert Christian   1924 –
        Steve C. Harding   W
        H. C. Hollister
        Oven W. Krüger
        Ted Milton
        Ringo Traft
        Jesse C. Vandenberg

Noo3 NAGULA, Michael   1959 –
        Maik Caroon   H/Sach/SF
        Michael Landmann
        Dan Shocker (PP)

Noo4 NAUBERT, Christiane Benedicte Eugenie   1756 – 1819
        Professor Kramer   Ph
        Professor Milbiller
        Johann Friedrich Wilhelm Müller

Noo5 NAUMANN, Margot   1929 –
        Peggy Norman   J

Noo6 NEBEHAY, Renée   1916 –
        Renée King   J

Noo7 NEHER, Franz L.   1896 – 197o
        Peter Hilten   J/R/SF
        Frank Neher

Noo8 NEHLS, Rudolf
        Nils Rissow

Noo9 NEITSCH, Otto
        Frank Sander

No1o NERLICH, Marcel   1931 – 1986
        Jan Rys   R

No11 NERTH, Hans   1931 –
    Ottokar Fritze   R

No12 NETSCH, Günter   1921 –
    Jack Bolden   K/R
    Gunter Gatow
    Garry Nash
    Gitta Negri
    Glenn Nexter
    Gil Norris
    Gerald Norton
    John Norton
    A. A. Ray
    Pat Wilding (VP)

No13 NEUBERT, Helmut   1942 –
    Jerry Cotton (VP)   K/W
    Everett Jones (VP)
    Henry Nelson
    Frederick Nolan (SP)
    Jack Slade (VP)

No14 NEUEN, Ruth
    Ruth von Neuen   R

No15 NEUFFER, Martin
    Michael Gastpar   K

No16 NEUHAUS, Wolfgang
    Robert Lamont (VP)   H

No17 NEUHAUS, W.
    W. H. Newhome   SF

No18 NEUMANN-REINHARD, Lucie
    W. Schlutow

No19 NICKEL, Roland
    Nic Roland

No2o NICKEL, Ruth   191o –
    Ruth Noorden   R
    Bob Svenson

No21 NICKEL, Th.
    Futurus   SF

No22 NICOLAS, Waltraud   1897 –
    Irene Cordes   J/R

No23 NIEBERGALL, Ernst Elias   1815 – 1843
    Ernst Streff   R

No24 NIEDERMEIER, Hans   191o – 1986
    John Cray   K

No25 NIEDRIG, Kurt-Heinz   1918 –
    Hilar Humilis   R

No26 NIEHAUS, Werner   1922 –
    Jerry Cotton (VP)   J/K
    Frank Sommers

No27 NIGGEMANN, Günter
    Fred Thompson (VP)   W

No28 NITZSCHE, Karl-Willy   1887 – 1962
    Karl Knurrhahn   R

No29 NODER, Anton Alfred   1864 – 1936
    A. de Nora   Ph

No3o NOFFKE, Fritz
    Will(iam) Parker

No31 NOGLY, Hans   1924 –
    Thomas Westa   R

No32 NOLL-WERDENBERG, Heidi   1946 –
    Heidi Werdenberg   R

No33 NOLTE, Helmut
   Tumleh Etlon   W

No34 NOLTING-HAUFF, Wilhelm   1902 –
   Ernst Barnewold   R

No35 NOTTKE-AXT, Maria   1928 – 1987
   Maria Axt   J

No36 NÜRNBERGER, Woldemar
   M. Solitaire

No37 NUTZ, Walter   1924 –
   Jerry Cotton (VP)   K

Ooo1 OBERMEIER, Siegfried   1936 –
        Carl de Scott   R

Ooo2 OBERNEDER, Friedrich
        O. Berneder   J

Ooo3 OBRIST-STRENG, Sibylle   1937 –
        Sibylle Severus   R

Ooo4 OCHS, Achim   1934 –
        Achim Och   K/R

Ooo5 OEDEMANN, Georg   19o1 –
        Georg Artur   A/J/R

Ooo6 OEHLE, Sophie   1898 –
        Friedel Scheffler   R

Ooo7 OELZE, Hedwig Marie   19o8 –
        Hedwig Rohde   R

Ooo8 OERTEL, Friedrich Wilhelm Philipp
        W. O. v. Horn

Ooo9 OESTERREICH, Axel Eugen v.   191o – 1988
        Axel von Ambesser   R/Sach

Oo1o OFFERGELD, Friedhelm   1929 –
        Michael Innsbrucker   R

Oo11 OHRLANDER, Gunnar
        Doktor Gormander

Oo12 OLBRICH, Hans
        Jerry Cotton (VP)

Oo13 OLIVEN, Fritz   1874 – 1956
        Rideamus   R

Oo14 OLWITZ-TITZE, Evelyn   1947 –
        Evelyn Hagen   J

Oo15 OMPTEDA, Georg von   1863 – 1931
        Georg Egestorff   R

Oo16 OPFERMANN, Hans-Carl   19o7 –
        Ferdinand Aruba   J

Oo17 OPPERMANN, Hermann
        Ringo Harris   W

Oo18 ORTHOFER, Peter   194o –
        Jan Hagel   R
        Pierrot La Pointe
        Caspar Nebel

Oo19 ORZECHOWSKI, Peter   1952 –
        Peter Drozza   R

Oo2o OSSENBRINK, Wilhelm   1922 –
        Wilhelm Boele   R

Oo21 OSTEN-SACKEN, Klaus von der   1919 –
        Klaus Wolff   J/R

Oo22 OSTWALD, Thomas
        Dr. John Watson   J/K

Oo23 OTT-KLUGE, Heidelore   1949 –
        Heidelore Kluge   R/Sach/SF

Oo24 OTTO, Elisabeth von   1862 – 1931
        Junior Caelestes   SF

Oo25 OTTO, Hermann   1926 –
        Hermann O. Lauterbach   R

Poo1 PAFFRATH, Alfred
    A. W. P. Forster

Poo2 PANIZZA, Oskar   1853 – 1921
    Louis Andree   Ph/R/Sach
    Hans Dettmer
    Publius

Poo3 PANY, Leonore
    H. Neuert

Poo4 PARADIS-SCHLANG, Ilka
    Barbara von Bellingen   F/R

Poo5 PARRY-DRIXNER, Willy   19o4 – 1977
    Will Draxner   A/J/K/SF/W
    Harry Dreyer
    Will Drixner
    Hans-Heinz Parry
    Percy Parry
    Hans-Heinz Peters

Poo6 PASSINI, Grete (geb. von Urbanitzky)   1893 –
    Grete von Urbanitzky   R

Poo7 PAULY, Margarete
    Aja Berg   R

Poo8 PEIS, Günter   1927 –
    Günter Alexander   J

Poo9 PENKALA, Alice   19o2 –
    Robert Anton   R
    Berta Bruckner
    Anneliese Meinert

Po1o PERKINS, Peter
    Jerry Cotton (VP)   K

Po11 PERTHES, Hans   1893 –
    P. R. Thes   R

Po12 PESCHKE, Hans   1923 –
    W. Brown (VP)   SF
    Peter Hansen
    Gregory Kern (VP)
    Harvey Patton
    Harvey Pearson
    Harry F. Wilden

Po13 PESCOLLER, Heinrich
    Harry Brown   W
    Tex Harding

Po14 PESSLER-ADAM, Dora   1893 –
    Th. Arthus   K/R
    Dora Niemann
    D. Pead

Po15 PETER, Alice (geb. Jürgens)   19o5 –
    Helke Jürgensen   R

Po16 PETERS, Hermann   1931 – 1984
    Staff Caine   K/SF
    Jerry Cotton (VP)
    John Curtis
    Jeff Mescalero
    Neil Porter
    Ted Scott (VP)
    Bert Stranger

Po17 PETRY, Ernst   1925 – 1965
    E. N. Widoc   K/R

Po18 PEULEN, Karl
    Tim Tobby   W

Po19 PFAEFFLI, Carina
    Carina Tauscheck   J

Po2o PFÄNDLER, Marcel   1927 –
    Mark Noldren   J
    Martin Renold

Po21 PFAFF, Brigitte   1929 –
        Birgit Keller

Po22 PFEFFER, Heinrich   1908 – 1978
        Otto Bell   R
        Alexander Benalti
        Thomas Beryll
        Harry Darry
        Max Morgan
        Musaget Murgel
        Manfred Thomas
        Ottokar Wendel

Po23 PFEIFFER-BELLI, Erich   1901 –
        Andreas Heldt   R

Po24 PFERDEKAMP, Wilhelm   1901 – 1966
        Arnold Nolden   J/R

Po25 PFERSMANN VON EICHTHAL, Rudolf   1877 –
        Rudolf Eichthal

Po26 PFRAGNER, Julius   1904 –
        Julia Genner   J/R

Po27 PFRETZSCHNER, Herbert   1910 –
        Herbert Kyllburg   J

Po28 PHILIPP, Julius   1875 –
        Philipp Hergesell   R

Po29 PHILIPSOHN, Martin
        Heinz Welten

Po3o PICHLER, Eberhard
        Erik N. Payer

Po31 PICHLER, Ernst   1930 –
        Saharien   Ph

Po32 PICK, Karl   1873 – 1935
        Joseph Delmont

Po33 PIETRUSCHINSKI, Horst   1913 –
      Ben Harder   A/J/R

Po34 PIETSCH, Josef
      Cosmus Flam

Po35 PIJET, Georg W.   19o7 –
      Peter Pinkpank   J

Po36 PILZ, Rolf   1911 –
      Rolf Lennar   J/R

Po37 PINKERT, Ernst Friedrich
      Leonore von Detten   R
      Friedrich Ernst
      Ernst Friedrich

Po38 PISCINI, Ingrid   1944 –
      Ina Fritsch   J

Po39 PIRWITZ, Horst   1919 –
      Rainer Schreiber   J

Po4o PITTIONI, Hans
      Hans Wohlmuth

Po41 PLANQUE, Walter de
      Igon Fredman
      Ingo Manfred

Po42 PLANT, Richard
      Stefan Brockhoff   K
      (mit D. Cuntz und O. Seidlin)

Po43 PLATTE, Heinz Erich   1895 –
      Fred Arnemann   R

Po44 PLATTEN, Will
      Esther Facius   R/Ü
      Hans-Martin Jossa

Po45 PLEHN, Heinz
  H. P. Lehnert   Ü

Po46 PLENK, Eleonora   1911 –
  Maria Pfniss   R

Po47 PLÖSSNER, Jutta
  Melissa Anderson   R
  Dr. Stefan Frank (VP)

Po48 PLÖTZE, Hasso   1921 –
  King Colt   K/W
  Jerry Cotton (VP)
  Jens Falkenhain
  Hasso Hecht
  Frank Wells

Po49 PLOGSCHTIES, H.
  Henning Bjerregaard   K

Po5o PLOOG, Ilse   19o6 –
  Ilse Windmüller   J

Po51 POCHE, Klaus   1927 –
  Nikolaus Lennert   R
  Georg Nikolaus

Po52 POETSCHKUS, Horst
  Fred Hammer   W

Po53 POKATZKY, Horst   1922 –
  Fred H. Phooky   K/W

Po54 POLOMSKI, Georg   192o –
  Georg Polo   K/R

Po55 PONNIER, Lotte   19o5 –
  Lotte Betke   J

Po56 POORTVLIET, Barbara van   1943 –
  Barbara Specht   J/R

Po57 POPP, Augustin
      Heinrich Suso Waldeck

Po58 POPPE, Karl Heinz
      Karl Heinz   Ü/W
      Robert Keen

Po59 PORSCH, F. E.
      Ingo Peterson   R

Po6o POSTL, Karl Anton   1793 – 1864
      Charles Sealsfield   A
      C. Sidons

Po61 POTTHOFF, Margot   1934 –
      Kai Lundberg   J

Po62 POTYKA, Lin   1888 – 1981
      Lina Ritter   J/R

Po63 PRAGER, Hans Georg
      Wilm Carsten   J
      Gunter Franz

Po64 PRAMBERGER, Romuald   1877 – 1967
      W. Elfenau   R

Po65 PREINERSTORFER, Alois 1897 –
      Alfra Pen   K
      Aly Perth
      Jack Perth

Po66 PREIS, Elisabeth   192o –
      Ellis Kaut   J

Po67 PREISSNER, Carl   1894 –
      Peter Kast   R

Po68 PREUSS, Gerda   19o1 – 1972
      Gerda von Kries   J/R

Po69 PREUTE, Michael   1936 –
    Jacques Berndorf   K

Po7o PRIESS, Karl-Heinz   1962 –
    Benito Martinez (VP)   SF/W
    Charles McKay (VP)
    Charles M. Preece
    Carl Priest
    Jack Slade (VP)

Po71 PROBST, Alfred   19o6 –
    Fred Preston   W

Po72 PROCHASKA, Bruno   1879 – 1968
    Bruno Wolfgang   R

Po73 PROSCH, T.
    Theodor Astarion

Po74 PÜSCHEL, Walter   1927 –
    Walter Schell   R

Po75 PÜTZ, Paul   1914 –
    Nick Pauly   A/W
    Texas-Reiter
    Fred Thompson (VP)

Po76 PUHL, Wilfried Ernst
    Bill Ernest
    Willie Ernst
    Will Friedmann
    Bill Pool

Po77 PUHLE, Joachim   1929 –
    Roy Démon   SF
    John Lé
    Joachim Pahl
    Gerd Sandow
    Gert Sandow
    J. G. Sandow
    L. B. Schorn
    Ted Scott (VP)

Po78 PUKALLUS, Horst   1949 –
     H. P. Howard   SF
     (mit K. Dietrich und R. M. Hahn)
     Gregory Kern (VP)
     Henry Robert
     Henry Roland

Po79 PULS, Dierk   1913 –
     Dierk Gerhard   R

Po80 PUPPA, Georg   1924 –
     Jorg Hubeck   R

Po81 PURKHART, Walter   1918 –
     Werner Trahk   K

Po82 PURNER, Inge   1918 –
     Inge(borg) Mühlhofer   J

Po83 PURRMANN, Christel   193o –
     Christel Dorpat   R

Po84 PUSCH, Edith
     Barbi Bach   H/R
     Barbara Busch
     Carol Desmond
     Michaela Dornberg
     Judith Janka
     Maria Linz
     Carola Martin

Po85 PUSCH, Harald   1946 –
     Peter Toole   SF

Po86 PUTTKAMER, Bogislav von
     Ralph Anders   SF
     (mit Jesco von Puttkamer)

Po87 PUTTKAMER, Jesco von   1933 –
     Ralph Anders   SF
     (mit Bogislav von Puttkamer)

Qoo1 QUANDT, Ernst   1884 –
        Ernst L. Ecker   R

Qoo2 QUEISER, Hans R.   1921 –
        Robert O. Steiner   SF

Roo1 RAABE, Wilhelm   1831 – 191o
        Jakob Corvinus   R

Roo2 RABEN, Hans-Jürgen   1943 –
        Miles Greene   H

Roo3 RABL, Hans
        Hans Kriesten

Roo4 RADVANYI, Netty (geb. Reiling)   19oo – 1983
        Anna Seghers   R

Roo5 RADWANER, Leopold   1897 –
        Carol Poldys   R

Roo6 RADZIWILL, Anna Inge   19o6 –
        Inge Rauer   R

Roo7 RÄBER, Hans   1917 –
        Tilla Nääggi   R

Roo8 RÄDLEIN, Johannes   1887 –
        Martin Otto Johannes   R

Roo9 RAHN, Wolfgang
        Mark Baxter (VP)   H/K/W
        Clark Conelli
        Bryan Danger
        Joe Dunhill
        Tom Frisco (VP)
        Randy Maverick
        Marcos Mongo (VP)
        Mortimer Mortmain
        Jack Slade (VP)
        Norman Thackery (VP)

Ro1o RANK, Heiner   1931 –
        Heiner Heindorf   K/SF
        A. G. Petermann

Ro11 RASCH, Carlos   1932 –
        Igor Iggensen   SF
        Jerry Moss

Ro12 RASENBERGER-KOCH, Erika   1891 –
        Karin Wilde   R

Ro13 RASPE, Rudolf Erich   1720 – 1797
        Karl Friedr. Hieronymus Fhr. v.Münchhausen Ph

Ro14 RASSAERTS, Ursula   1911 –
        Ursula Röh   J

Ro15 RATHMANN, Oswald   1901 –
        Ernst Haller   J/R

Ro16 RAUSCH, Albert   1882 – 1949
        Henry Benrath   R

Ro17 RAUSCH, Annegret (geb. Hüger)   1906 –
        A. R. Hüger   J

Ro18 RAUSCH, Lothar
        Jerry Cotton (VP)   K/R
        Lothar Eschbach
        Dr. Stefan Frank (VP)

Ro19 RAUSCHNIK, Gottfried Peter   1778 – 1835
        Ph. Rosenwall   Ph

Ro2o RAVEN, Achim   1952 –
        Ferdinand Scholz

Ro21 REBICZEK, Franz   1891 – 1961
        Hannes Kernegger   R

Ro22 REBNER-CHRISTIAN, Doris
        Doris Christian   J/R
        Christa Kirchmayr
        Christiane v. Torris

Ro23 RECHT, Camillus 1894 –
    C. Christensen K

Ro24 REESE, Wilhelm Friedrich Carl 1894 – 1957
    Ludwig Osten A/K/R/SF
    Renate von Osten
    Willy Reese
    Pit Renner
    Borchers von Rienziehausen

Ro25 REHFELD, Frank 1962 –
    Samantha Askin A/F/H/R
    Jessica Atkins
    Steve Cooper (VP)
    Robert Craven (PP)
    Sebastian Holzner (VP)
    Frank Thys
    Dieter Winkler

Ro26 REHN, Gottfried
    Gustav Damann R

Ro27 REIF, Irene 1931 –
    Cecil J. Hoop R

Ro28 REIFENBERG, Elise
    Gabriele Tergit R

Ro29 REIFF, H. Volker
    Terry Cane SF

Ro3o REIMANN, Gero 1944 –
    Ralf-Rüdiger Meier-Knülbendorff SF

Ro31 REIMESCH, Fritz Hein 1892 –
    Michel Schaffer R

Ro32 REINECKE, Walter
    Carl Riegl SF
    Munro R. Upton (mit W. Ernsting,
    W.Kumming, W. Scholz, J. vom Scheidt)

Ro33 REINECKER, Herbert   1914 –
        Axel Berg   K/R
        Herbert Dührkopp

Ro34 REINHARD, Hans Georg
        Hans Georg
        Hans Gordon
        Hedwig Hard
        Helmut Hardt
        Hans Warren (SP)

Ro35 REINHARD, Wilhelm Peter
        Peter Carr
        E. A. Franklin
        Fritz Hagen
        Alice Herfurth
        Peter Puck
        Hans Warren (SP)
        Hans Warren-Holm

Ro36 REINHOLD, Karl Ludwig
        Hans Kegler

Ro37 REINOWSKI, Hans J.   19oo – 1977
        Hans Reinow   R

Ro38 REINTSCH, Ingeborg   193o –
        Ingeborg R. Tetzner   J

Ro39 REIS, Kurt   1928 –
        Stephan Carolyi   J/R
        Conte Costello
        Mario Markus
        Axel von Orlowski
        Kurt Ritter

Ro4o REISCH-NOWAK, Christine
        Dr. Stefan Frank (VP)   R
        Linda Ward

Ro41 RELLERGERD, Helmut   1945 –
     John Cameron (VP)   H/J/K/W
     Cliff Corner (VP)
     Jerry Cotton (VP)
     Damion Danger
     Jason Dark (PP)*
     John Denver
     Red Geller
     Everett Jones (VP)
     Robert Lamont (VP)
     Kevin Le John
     Dave Morris
     Jack Morton (VP)
     Jim Prescott
     Jack Slade (VP)
     Franco Solo (VP)

Ro42 REMARK, Erich Paul   1898 – 197o
     Erich Maria Remarque   R

Ro43 REMUS, Michael
     Dan O'Hara   W
     Mike Summer

Ro44 RENNAU, Joachim   1919 –
     K. W. Browne   A/R/SF/W
     Hurry Cane
     Charlie Grant
     Jim Gray
     Jim Grey
     Monika Ramin
     J. R. Randall
     Rolf Randall
     Rolf Renn
     Rolf Rennau
     James S. White

Ro45 REPPERT-RAUTEN, Lothar von   1888 – 1975
     L. C. Rauten   J/K/R

Ro46 REUBEL-CIANI, Theo   1921 –
     Inspektor Collins   J/K/R

Carlo Rovali

Ro47 REUTER, Jo(sef)   1909 – 1978
     Ralph Barran   A/J/K/SF/W
     Rolf Barran
     Jim Carter (VP)
     Tom Chester (VP)
     Petra Ellerhorst
     William Grey
     Joschi Loretta
     MacMadison
     Eddie Mills
     Rock Parry
     Pierre Renauld
     Jan Ruiter
     Mario Varani

Ro48 REXHAUS, Günther
     Rex Hayes   W
     Rex Regan

Ro49 REYLE, Wilhelm   1899 –
     E. W. van Rey   R

Ro5o REZNICEK, Felicitas von   1904 –
     Paul Felix   J/K/R

Ro51 RHEIN, Eduard   1900 –
     Klaus Hellborn   J/R
     Klaus Hellmer
     Hans Ulrich Horster
     Adrian Hülsen

Ro52 RICHARTZ, Helmuth
     Toddy Brett (SP)   W
     Tom Harper
     Hal McRitchie

Ro53 RICHTER, Alfred
     Andreas Igel Richter

Ro54 RICHTER, Elisabeth   19o8 –
        Lise Gast   J/R

Ro55 RICHTER, Ernst H.   19oo – 1958
        William Brown   SF
        Ernest Terridge

Ro56 RICHTER, Hans   1889 – 1941
        Maximilian Lahr   J/R/SF

Ro57 RICHTER, Hans Peter   1925 –
        J. P. Juge   J/R

Ro58 RICHTER, Johann Paul Friedrich   1763 – 1825
        Jean Paul   Ph/R

Ro59 RICHTER, Josefine
        Ernst Ledner

Ro6o RICHTER, Rosemarie
        Renate Sprung   R

Ro61 RICHTER, Wolfgang   1925 –
        Roman Wolf   R/SF

Ro62 RICHTER-TERSIK, Oswald
        Kassi Stone   A/W

Ro63 RICKE, Edeltraut   192o –
        Clara Herken   J/R

Ro64 RIECK, Erika   1912 – 1965
        Eva Elten   R
        Marion Marten

Ro65 RIEDEL, Curt
        Conrad Recke

Ro66 RIEGEL, Wilhelm Michael   1932 –
        Michel Morin   J/R

Ro67 RIELAU, Ursula
    Jill Steinberg   R

Ro68 RIESCHEL, Paul   1889 –
    Frank Breit   W

Ro69 RING, Lothar   1882 –
    Rudolf Marschall   R
    E. Schäffer

Ro7o RINTELEN, Fritz Martin   1892 – 1963
    Friedrich Vlotho   R

Ro71 RITTER, Vera   1918 –
    CV. Blachstädt   J
    Cäcilie Schultz

Ro72 RITTER, Wolfpeter   1949 –
    John Catlin   H/K/SF/W
    Jerry Cotton (VP)
    Pierre Lykoff
    Peter Terrid
    Patricia Wynes
    Patrick Wynes

Ro73 RITTMANN, Charlotte   1924 –
    Charlotte Berg   R

Ro74 ROBERT, Marielis   19o9 – 198o
    Marielis Hoberg   J
    Mäti Robert

Ro75 ROCKSTROH, Ernst   1927 –
    Gerda Merten   R

Ro76 RODRIAN, Irene   1937 –
    Jerry Cotton (VP)   K

Ro77 ROECKEN, Kurt Walter   1906 – 1985
      Cecil V. Freed   A/K/Sach/SF
      Anthony Michael
      C. V. Rock
      Edgar T. Sterling
      Henry Walter

Ro78 RÖMHILD, Helmut
      John Cameron (VP)   K/W
      Jack Slade (VP)

Ro79 RÖSENER, Inge   1917 –
      Ilona D*ry*   *J/R*

Ro8o RÖSLER, K. Herbert   1926 –
      Alexander Wolf   J/R

Ro81 ROGLER, August   1916 –
      Andreas More   J

Ro82 ROHR, Wolf Detlef   1928 – 1981
      Detlef van Bergen   K/SF
      Jeff Caine
      Wayne Coover (VP)
      Allan Reed

Ro83 ROITHMAIER, Emilie   1891 –
      Fritzi Ertler   R

Ro84 ROMMEL, Alberta   1912 –
      Britta Verhagen   J/R

Ro85 ROMMEL, Theodore von   187o –
      Jon von Goldmar
      Thé von Rom
      Thea von Rommel

Ro86 ROSCHMANN, Kurt   19oo –
      Friedrich Roman   R

Ro87 ROSENBAUER, Roland   1956 –
     Roger Damon (SP)   H
     (auch mit M. Eisele)
     S. F. Roland
     Mike Shadow (VP)
     Dan Shocker (PP)
     John Spider (VP)
     H. P. Usher (VP)

Ro88 ROSENBERG, Irina von   19o7 –
     Irina Saburowa   R

Ro89 ROSENDORFER, Herbert   1934 –
     Vobber Togesen   R

Ro9o ROSENFELD, Friedrich   19o2 –
     Friedrich Feld   J/K/R

Ro91 ROSENFELD, Sandor Friedrich   1872 – 1945
     Aaba Aaba   R
     Alexander Roda Roda

Ro92 ROTHENBURG, Walter   1889 –
     Barba Rossa   R
     Wero

Ro93 ROTH-KAPELLER, Ingrid   1947 –
     Ingrid Puganigg   R

Ro94 ROTTENSTEINER, Alois   1911 –
     Alexis Steiner   J

Ro95 ROTTENSTEINER, Franz   1942 –
     Irene Lansky   Ü

Ro96 ROUTSCHEK, Helmut   1934 –
     Alexander Kröger   SF

Ro97 RUBAHN, Horst-Günter   1959 –
     Claude Faine   SF
     Iris Kruse

Ro98 RUCH, Hans   1916 –
        Robert Gall   R

Ro99 RUDAT, Richard J.
        Alf Tjörnsen (VP)   SF

R1oo RÜBENACKER, Thomas
        Roderick Asher   H

R1o1 RÜGGEBERG, Annelies (geb. Böer)   1926 –
        Annelies Böer   J

R1o2 RUKAVINA-MÖRL, Lea   1893 – 1977
        Lea von Mörl   R

R1o3 RUMMEL, Marianne von (geb. Ziegler)   1886 – 1975
        Marianne von Ziegler   J/R

R1o4 RUMPFF, Heinrich   1897 –
        Lutz W. Ibach   K/R

R1o5 RUNGE, Luise Lily   1868 –
        Luise von Brandt   R

R1o6 RUPPERT, Walter   1913 –
        Bert Pertrup   R

R1o7 RUSS, Peter   1891 –
        Carl Heimborn

R1o8 RUSSELL, Edith   1921 –
        Edith Kranz   J/R

R1o9 RUSSENBERGER, Max   1887 – 1973
        Max Werner Lenz   R

R11o RYBARCZYK, Mario   1947 –
        Mario Ladis   R

184

Soo1 SABOTT, Edmund
    Petra Stohr

Soo2 SACHER-MASOCH, Leopold   1836 -1895
    Charlotte Arand   E/R
    Zoe van Rodenbach

Soo3 SACHSE, Willi Richard
    Big Ben
    Jan Murr
    Hein Snut

Soo4 SAGEMAN, Marietta
    Jim Dollar   SF

Soo5 SALOMON-DANIGER, Margot   19o9 –
    Margot Daniger   R

Soo6 SALZMANN, Siegmund   1869 – 1945
    Felix Salten

Soo7 SANDERS, Richard   1897 –
    Ricardo Sanders   A/R

Soo8 SANKE, Margit
    Dr. Stefan Frank (VP)   R
    Jutta von Josten

Soo9 SASS, Eugen v.
    John Tovards

So1o SASSE, Gerhard
    Jonathan Elm   K
    Fred Harden
    Harry Wagner

So11 SATERNUS, Marta   1887 –
    M. Coray   R

So12 SAUPE, Dieter
    John Cameron (VP)   H/K
    Brian Elliot (VP)
    Robert Lamont (VP)
    Frank de Lorca (VP)

So13 SAXEGAARD, Annik   1905 –
    Berte Bratt   J

So14 SCHAAKE, Erich
    Peter Brock   K
    Gordon Travis

So15 SCHADE-HÄDICKE, Josefine
    J. Schönermark

So16 SCHÄDLICH, Gottfried   1917 –
    Fred Noxius   J/R
    Fried Noxius
    G. F. W. Suixon

So17 SCHAEF, Conrad C.   1937 –
    Roy Chester   SF
    Conrad Shepherd

So18 SCHÄFER, Max   1884 –
    John Ala   J/R
    Peter Sill

So19 SCHÄFER, Robert   1926 –
    Patricia Laureen   J

So2o SCHÄFFER, Jutta (geb. Westphal)   1930 –
    Jutta Westphal   R

So21 SCHÄTZ, Edward R.   1913 –
    Bob Edwards   R/SF
    Eduardo Roberti
    Rob Ward

So22 SCHÄTZLER-PERASINI, Gebhard
     Ira Pera
     Gaston René
     Mark Roberts

So23 SCHATTSCHNEIDER, Peter   1950 –
     Thomas Loikaja   SF

So24 SCHAUER, Herbert   1924 –
     Bert Bauer   K/R

So25 SCHAUMANN, Jochen
     Jo Iseler   K

So26 SCHAUWECKER, Eva   1895 –
     Eva Karz   J
     Peter Karz

So27 SCHEER, Karl Herbert   1928 –
     Pierre de Chalon   A/K/SF
     Roger Kersten
     Diego el Santo
     Klaus Tannert
     Alexej Turbojew

So28 SCHEFF, W.
     B. Hardy

So29 SCHEIBENPFLUG, Heinz   1910 –
     Michael Waldegg   J

So3o SCHEIBLER, Susanne   1936 –
     Ruth Bernstorff   R
     Ulla Birkenstein (VP)
     Olivia Morton
     Susanne Roland
     Luise von Ronda
     Vera Vidal

So31 SCHEIDT, Jürgen vom   1940 –
     Stefan Bergmann   SF
     Thomas Landfinder
     Munro R. Upton (mit W. Ernsting, W. Kumming, W. Reinecke, W. Scholz)

So32 SCHEIDT, Martha vom   1898 – 1976
     Martha Saalfeld   R

So33 SCHEIDT, Walter   1895 – 1967
     Berchtold Gierer   R

So34 SCHELIGA, Hans   1925 –
     Hans Schellbach   R

So35 SCHELLACK, Jürgen Roland   1925 –
     Jürgen Roland   K

So36 SCHEPELMANN, Margarete   1907 –
     Katharina Thörner   R

So37 SCHERF, Dagmar   1942 –
     Dagmar Deskau   R

So38 SCHERL, August   1918 –
     Volkhard S. Ch. Erl   SF
     August Noiret

So39 SCHEUFGEN, Hermann   1897 –
     Hermann Schauff   J/R/SF

So4o SCHEYE, Ruth   1893 –
     Ruth Hoffmann   R

So41 SCHIEDE, Gerty   1921 –
     Andrea Hardenberg   R
     Katrin Kastell (VP)
     Jessica Owen
     Patricia Vandenberg

So42 SCHIEFNER, Alexandra von   1906 –
     Alexandra von Sazenhofen   R

So43 SCHIFF, Hans Bernhard   1915 –
     Wolfgang Geyse   J/R

So44 SCHIFFERS, Winfried   1931 –
     Wyn van Aken   J/R

So45 SCHILLING, Waldemar
     Ferdinand Kringel

So46 SCHISCHMANOW, Melanie   1896 – 1962
     Grete Macher   J/R
     Paul Maria Mahr
     Jani Rigo

So47 SCHLAF, Johannes   1862 – 1941
     Bjarne P. Holmsen   R
     (mit Arno Holz)

So48 SCHLECHTA, Karl   19o4 – 1985
     Franz Zöchbauer   R

So49 SCHLECKAT, Ulrike (geb. Bliedung)   1921 –
     Ulrike Beumer   J
     Ulrike Bliedung

So5o SCHLEGEL, Elfriede   1918 –
     Elfriede Ziering   R

So51 SCHLEICHER, Gisela   1951 –
     Melanie St. Cyr   R

So52 SCHLEINITZ, Egon Gustav   1912 –
     Claus Roth   R

So53 SCHLEY-HEIDEMANN, Beate
     Sibylle Simon   R

So54 SCHLIETER, Siegfried   1924 –
     Harry Grindel   J/R

So55 SCHLITT, Tilly   1918 –
     Tilly von Arnberg   R

So56 SCHLÜTER, Marg.   1869 – 1939
      Margarete Böhme   R

So57 SCHMID, Doris   1930 –
      Kathrin Rüegg   R

So58 SCHMID, Eduard   1890 – 1966
      Kasimir Edschmid   R

So59 SCHMID, Maria   1889 –
      Maria Mathi   R

So60 SCHMIDHÄUSLER, Fritz J.
      F. J. Samedy   SF

So61 SCHMIDT, Dieter   1937 –
      Hans Dieter Baroth   R

So62 SCHMIDT, Dorothea Maria   1925 –
      Doris Jannausch   J/R

So63 SCHMIDT, Gertrud   1926 –
      Gertrud Bradatsch   R

So64 SCHMIDT, Gustav E.   1916 –
      G. E. Smith   K/R
      G. E. Webbs

So65 SCHMIDT, Heinrich   1898 –
      Henry Smith   A/J/K/W

So66 SCHMIDT, Helmut K.
      H. C. Leroy   A/SF
      I. V. Steen
      (auch mit Paul A. Müller)
      Ive Steen

So67 SCHMIDT, Johannes   1918 –
      Johannes Weidenheim

190

So68 SCHMIDT, Klaus
    Marcos Mongo (VP)   H
    Gordon Scott

So69 SCHMIDT, Kurt Oskar   1912 –
    Kurt Oskar Buchner

So7o SCHMIDT, Otto Ernst   1862 – 1926
    Otto Ernst   R

So71 SCHMIDT, Paul   1911 –
    Paul Carell   R

So72 SCHMIDT, Veronika   1928 –
    Vera Friedländer   R

So73 SCHMIDT, Wilhelm   1876 – 1952
    Wilhelm Schmidtbonn   R

So74 SCHMIDT-ELGERS, Paul   1915 –
    Paul Elgers   K/R

So75 SCHMIDT-FREKSA, Gertrud   19o2 –
    Friedrich Freksa   R/SF
    (mit Kurt Friedrich-Freksa)

So76 SCHMIDT-FREYTAG, Carl-Günther   1924 –
    Peter Brock   J/R/SF
    Ronald Erskin
    Harald Hollm

So77 SCHMIEDEN, Else
    E. Juncker

So78 SCHMINDER, Eleonore
    Regina Rauenstein   R
    Erika Sommer

So79 SCHMIRGER, Gertrud   19oo – 1975
    Gerhart Ellert   R

So8o SCHMITT, Heinrich 1894 – 1976
Frank Arnau K/R/Sach

So81 SCHMITT, Willi 1929 –
Will Smit R

So82 SCHMITZ, Nanna (geb. Reiter) 1932 –
Nanna Reiter J

So83 SCHMITZ, Rolf 1941 –
Jerry Cotton (VP) K/R
Rolf Tobias

So84 SCHMITZ, Walter 1923 –
Walter Faber K/R

So85 SCHMOLL, Werner 1926 –
Jean Taureau R

So86 SCHNEEBERGER, Irmgard 1935 –
Barbara Gray R
Sandra Paretti

So87 SCHNEIDER, ?
Robert Lamont (VP)

So88 SCHNEIDER, Hermann 19o3 –
Maximilian Rott R

So89 SCHNEIDER, Hugo 1914 –
Egon Merker R

So9o SCHNEIDER, Karl-Hermann 1948 –
Carsten Peters R

So91 SCHNEIDER, Karla 1938 –
Karla Sander K

So92 SCHNEIDER, Utta (geb. Denneler)
Utta Danella K/R
Stefan Dohl
Sylvia Groth

So93 SCHNEIDER, Walter   1924 –
     Fred Gontard   J/R

So94 SCHNEIDRZIK, W. E. J.   1915 –
     Dr. Fabian Hafner   R/Sach
     Gerd Hafner
     Peter Satorik
     Peter Sebastian

So95 SCHNOBEL, Erna   19o2 –
     Erna Lange   R

So96 SCHOBER, Hermann   1918 –
     Stephan Kilian   R

So97 SCHODER, Alois   1878 –
     Franz Sorge   R

So98 SCHOEB, Erika
     Denis DeWitt
     Wernher von Grau

So99 SCHÖLER, Ellen   19o3 – 1984
     Jella Karras   J/R
     Ernest Riccard
     Wimm Willborg
     Eva Wittmund

S1oo SCHOENEBECK, Willi
     Jerry Cotton (VP)   K
     Eliot Spencer (VP)

S1o1 SCHÖNENBRÖCHER, Michael   1961 –
     Robert Craven (VP)   H

S1o2 SCHÖNLEITEN, Dietmar v.   1926 –
     Dietmar Schönherr   R

S1o3 SCHÖPFER, Georg Karl August   18./19. Jh.
     G. Bertrant   A/Ph
     C. F. Fröhlich
     L. Scoper

Slo4 SCHOLTES, Roger   1917 –
       Jan van Orth   K/R

Slo5 SCHOLZ, Guenter   1924 –
       Christian Opitz   R

Slo6 SCHOLZ, Hugo   1896 –
       Urli Hofer   R

Slo7 SCHOLZ, Winfried   1925 – 1981
       W. Brown (VP)   K/SF
       Winston Brown
       Bert F. Island (VP)
       W. W. Shols
       Munro R. Upton (mit W. Ernsting, W. Kumming, W. Reinecke,
       J. vom Scheidt)

Slo8 SCHONAUER, Ruth   1922 –
       Ruth Rehmann   J/R

Slo9 SCHOPFER, Jean   1868 – 1931
       Claude Anet   R/SF

S11o SCHRADER, Hermann   19o9 –
       Werner Ingenhag   J/R
       Wolf Pokorny

S111 SCHRECK, Irmtraud Elfriede   1933 – 199o
       Irmtraud Morgner   Ph/R

S112 SCHREIBER, Hermann   192o –
       Ludwig Barring   R
       Lujo Bassermann
       Ludwig Berneck
       Ludwig Bühnau

S113 SCHREIBER-UHLENBUSCH, Hugo Paul   19o5 –
       Hugo Paul Uhlenbusch   R

S114 SCHREY, Helmut   192o –
       August Brüll   R

S115 SCHREYER, Lothar   1886 –
    Angelus Pauper   R

S116 SCHRIMPF, Markus   1928 –
    Johannes Uhden

S117 SCHROEDER, Edith   1915 –
    Edith Anderson   J

S118 SCHRÖDER, Rainer M.   1951 –
    Nora Adams   A/H/J/K/R/W
    Lionel Alexis (VP)
    John Ball (VP)
    Mark Baxter (VP)
    John Cameron (VP)
    Ashley Carrington
    Al Conway
    Jeff Denver
    Garry Domingo
    Jennifer Frey
    Marion Hargrove
    Ralph Henders
    Perry King
    Mike McCoy
    Sandra Parker
    Rainer Maria Rostock
    Ray M. Scott
    Raymond M. Sheridan
    Jack Slade (VP)
    Franco Solo (VP)
    Jessica Storm

S119 SCHRÖDER, Walter   19o5 –
    Walter Kiewert   R

S12o SCHUBERT, Paul Hermann   19o4 –
    Matthias Bruckner   J/K/R
    Monika Falk
    Udo Falk
    Toni Falkner
    Paul Hermann
    Jan Störtebeker

S121 SCHÜTZ, Philipp Balthasar Sinold von
Ludwig Ernst von Faramund

S122 SCHULER-LENTZ, Margrit Roma   1939 –
Roma Lentz   R
Margery Mason
Della Spring

S123 SCHULT, Hans
Jacky Summers   R

S124 SCHULTE, Dieter   1922 –
Dick Dickson   A

S125 SCHULTE, Hansi   1914 –
Hansi Kessler   J/R

S126 SCHULTZ, Helmut   1909 –
Peter Gording   J/R

S127 SCHULZ, Helga
Judy Manson   J

S128 SCHULZE, Friedrich August   1770 – 1849
Innocenz   E/Ph/R
Helldunkel Jeremias
Friedrich Laun

S129 SCHULZE-BERKA, Kurt   1909 – 1985
Michael Berka   J/R
H. Rikart

S130 SCHULZE-RIKART, Kurt Joachim   1909 –
Joachim Berk   Ph

S131 SCHUMACHER, Alfons
Ralph Thomas   A/W

S132 SCHUMACHER, Astrid und Bernt
ABS   K

S133 SCHUMACHER, Rita
    Hella Lichtenau   R

S134 SCHUMANN, Anneliese   1919 –
    Steffi von Berg   R
    Annelie Weiden

S135 SCHUMANN, Wolfgang   1887 –
    Ezard Nidden   R

S136 SCHUSTER, Gaby
    Marie Cordonnier   R
    Valerie Star

S137 SCHWABACH, Erik-Ernst
    Ernst Sylvester

S138 SCHWANENFLÜGEL, Angelica von   1919 –
    Angelica Krogmann   J/R

S139 SCHWARTZ, Erika   1913 –
    Erika Petersen   R

S14o SCHWARZ, Christian
    Chrissie Black   H
    Marcos Mongo (VP)

S141 SCHWARZ, Joachim   19o9 –
    Carl-Jacob Danziger   R

S142 SCHWARZ, Rudolf   19o4 – 1963
    Ralph Black   K/R

S143 SCHWARZER, Annemarie   19o2 –
    Annemarie Artinger   R

S144 SCHWERDTFEGER, Walter Georg   19o1 –
    Asta von Rosen   R/SF
    Alan D. Smith
    Henry Wolf

S145 SCHWERIN, Otto
     Guido Haller
     Titty Schwerin

S146 SCHWIMANN, Elfriede   1930 –
     Carrie Roessler   J

S147 SCHWINDT, Edeltraut   1914 –
     Alexandra Schwarz   J
     Barbara Schwindt

S148 SCHWÖRER, Sigrid   1941 –
     Sigrid Mannale   J

S149 SCIPIO, Rudolf
     R. Waldheim

S150 SCOTTI, Ilse-Georgine von   1902 – 1976
     S. C. Ott   R

S151 SECKLEMAN, Peter   1905 –
     Peter Motram   A/Ph

S152 SEDDIG, Günther
     Mark Baxter (VP)   K/W
     Jerry Cotton (VP)
     Ted Curtis
     Tom Kelly
     Frederick Nolan (SP)
     Jack Slade (VP)

S153 SEGERER, Josef Sebastian
     Josef S. Viera

S154 SEIDEL, Georg Heinrich Balthasar   1919 –
     Christian Ferber   R
     Simon Glas
     Lisette Mullère

S155 SEIDLER, Anneliese   1926 –
     Anneliese Probst   J

S156 SEIDLIN, Oskar
     Stefan Brockhoff   K
     (mit D. Cuntz und R. Plant)

S157 SEITZ, Eberhard   1912 –
     Hedwig Ahrens   K/R/SF
     Enrico Antares
     Nina von Bolvary
     Jerry Cotton (VP)
     Anja von Eichen
     Ellen Heydorn (VP)
     Gustl Huber
     Terry Le Lon
     Henry Sherwood
     J. E. Wells

S158 SELLMANN, Norbert   1942 –
     Justus Pfaue   R

S159 SELTER, Hubert Heinrich   19o7 –
     Harry Russ   W

S16o SELTER, Kurt
     Rod Canfield   A/K/W
     Pitt Holm
     Flying Jack
     Clay S. Melton
     Curt Peters
     Pierre Rousseau
     Pet Roussel
     Jack Ryan

S161 SENGER, Valentin   1918 –
     Valentin Rabis   R

S162 SENTJURC, Igor   1927 –
     Nikolai Dorpat   K/R
     Igor von Percha

S163 SERNER, Martin Gunnar
     Frank Heller

S164 SEROWY, Rolf
    Simon Calef   H
    Brian Elliot (VP)
    Frank de Lorca (VP)

S165 SESSLER, Thomas   1915 –
    Gabriel Thomas   J

S166 SEUBERLICH, Hans-Erich   1920 –
    Han Erich   J/R

S167 SEUFFERT, Brigitta   1908 –
    Gitta von Cetto   J/R

S168 SEYBOLD, Friedrich
    Anselmus Hilarius

S169 SEYFFERT, Friedrich Arthur
    Herbert Hill

S170 SIDJANSKIJ, Dimitrij
    Mischa Damjan   J

S171 SIEBENSTÄDT, Ingeborg   1932 –
    Tom Wittgen   J/K/R

S172 SIEBERT, Ilse   1899 – 1987
    Ilse Langner   R

S173 SIEBOLD, Werner   1887 – 1970
    Klaus Werner   J/R

S174 SIEBRANDS, Erika   1909 –
    Erika Mahlow   R

S175 SIEFKES, Wilhelmine   1890 –
    Wilmke Anners   J/R

S176 SIEGL, Irma
    Irma Gold   R
    Ingrid Goldstroem

S177 SIEGL, Margareta   1933 –
      Franz Rauscher   J/R
      Margot Rieder
      Margareta Schieweg

S178 SILBERSTEIN, Leo
      Leo Gilbert

S179 SIMON, Titus Hans J.   1959 –
      Titus   Ph/SF

S18o SINGER, Elisabeth   1897 –
      Elisabeth Maria Rein   J

S181 SINNING, Ingeborg   193o –
      Ingeborg Sinn   J/R

S182 SIROWATKA, Eva-Maria   1917 –
      Eva-Maria Roosen   J/R
      Eva-Maria Wiesemann

S183 SKALNYK, Johannes   1896 – 1984
      Hans Pirkhoff   R

S184 SKASA-WEISS, Eugen   19o5 – 1977
      O. Skalberg   R

S185 SKORPIL, Robert   1894 –
      Roger Bellarmin   J/R

S186 SKRBENSKY, Gabriele   1898 –
      Gabriele von Sazenhofen   R

S187 SMOLIK, Hans-Wilhelm   19o6 –
      Hans Michael   J

S188 SOBCZYK, Rudolf   1916 –
      Hans Romberg   J

S189 SOBOTTA, Kurt
      A. Tobos

S19o SOCHACZEWSKI, Heinrich
    Victor von Falk
    H. H. Schefsky

S191 SOEDER, Michael   1921 –
    Achim Anderer   R

S192 SOMMER, Hans Wolf   1939 –
    Mark Baxter (VP)   F/H/K/R/SF
    John Cameron (VP)
    Frederic Collins (VP)
    Jerry Cotton (VP)
    Robert Craven (PP)
    Vernon Graves
    Gunther Herbst
    Robert Lamont (VP)
    Frank de Lorca (VP)
    Marcos Mongo (VP)
    Frederick Nolan (SP)
    Michael Roberts
    Mike Roberts
    Jack Slade (VP)
    H. W. Springer
    Emma Wolf
    Hans Wolf
    Robert Wolf

S193 SOMMER, Siegfried   1914 –
    Blasius der Spaziergänger   R

S194 SOMMERFELD, Arno   1891 – 1963
    Guido Laurenat   K/R

S195 SPANG, Günter   1926 –
    Nikolaus Zinzendorf   J

S196 SPANGENBERG, Anna Elisabeth Erna   1898 –
    Erna Weißenborn   R

S197 SPARWASSER, Else   1892 –
    Grete Grombacher   R

S198 SPATZ, Otto   19oo –
      Helmut Otto   R

S199 SPAUDE, Willy   1919 –
      W. S. Camm   A/W
      Roul de la Croix
      Chester Morrel
      Rey Roydon
      Will Spandey

S2oo SPIEGL, Walter
      Bert Horsley   SF/Ü
      Bert Koeppen
      Otto Kühn (SP)

S2o1 SPINDLER, Carl   1796 – 1855
      Max Hufnagel   R
      C. Spinalba

S2o2 SPIRAGO, Franz
      Alfons Konzionator

S2o3 SPITZER, Rudolf   1835 –
      Rudolf Lothar   R

S2o4 SPONSEL, Heinz   1913 –
      René Bernard   R

S2o5 SPRENGEL, Karl Friedrich Adolf
      Karl Locusta

S2o6 SPRINGENSCHMID, Karl   1897 –
      Beatus Streitter   R

S2o7 SPRITZENDORFER, Luise Elisabeth   1913 –
      Leila von Malchus   R

S2o8 SPÜRKEL, Hans-Jürgen
      Jerry Cotton (VP)   K

S2o9 SPUNDA, Franz   189o – 1963
      Theodor Däubler   Ph

S21o SQUARRA, Heinz   1931 –
     Ben Barrister   K/W
     Sir Bronx
     Peter Burnett (VP)
     Rod Harris
     Everett Jones (VP)
     R. C. Masters
     G. M. Rockerfield (VP)
     H. S. Sharon
     Jack Slade (VP)
     G. F. Traiber
     Ben Treff

S211 STACKELBERG-TREUTLEIN, Freda von   1929 –
     Harry Genter   K

S212 STADLER, Martin   1944 –
     Lukas Till   R

S213 STADLINGER, Burgl   192o –
     J. Neuhofer   R

S214 STAHR, Fanny   1811 – 1889
     Fanny Lewald

S215 STAIGER, Hedwig   1892 –
     Hedwig Lohse   J

S216 STALMANN, Reinhart   1917 –
     Stefan Olivier   J/R/SF
     Ernst Ludwig Ravius

S217 STAMMEL, Heinz-Josef   1926 – 1989
     Robert S. Field (PP)*   W
     Christopher S. Hagen
     Jim Kellog (VP)
     T. C. Lockhart
     Robert Ullman (PP)*

S218 STARGAARD, Herbert Gabriel   191o – 1982
     Gabriel Bretone   R

S219 STAUDACHER, Walther   1911 –
      Alexander Berda   R

S22o STAVE, John   1929 –
      Hans Fassdaube   J/R
      Thomas Zabel

S221 STAWOWY, Elke   1942 –
      Elke Müller-Mees   J

S222 STEBICH, Max   1897 – 1972
      Max Rott   R

S223 STECKEL, Elfriede (geb. Kuhr)   19o2 –
      Jo Mihaly   R
      Francesco Moletta

S224 STEGUWEIT, Heinz   1897 – 1964
      Lambert Wendland   R

S225 STEHLICH, Friedrich Wilhelm
      Armin Wilhelm

S226 STEIN, Friede (geb. Courths)   1891 – 1985
      Friede Birkner   R

S227 STEIN, Gottfried   1893 –
      Philipp Gottfried Maler   R

S228 STEIN, Irmgard von   1895 –
      Cara von Feldern   J

S229 STEINBERG, Werner   1913 –
      Udo Grebnitz   K/R/SF

S23o STEINBÖMER, Gustav Hillard   1881 – 1972
      Gustav Hillard   R

S231 STEINBORN, Tonimarie   1901 –
       Ina Brandenfels   K/R
       Hanna Eickhoff
       Patricia Gold
       Karin Holger

S232 STEINIGER, Peter Alfons
       Peter A. Steinhoff   R

S233 STEINMEISTER, Alexander von   1899 –
       Alexander von Rees   R

S234 STELLRECHT, Helmut   1898 –
       Hermann Noelle   R

S235 STELZENMÜLLER, Annelie   1915 –
       Sandra Brugger   R
       Ursula Hauff
       Irene Latour

S236 STENGEL, Hansgeorg   1922 –
       Jonas Janus   J

S237 STEPHAN, G. Conrad   1901 –
       Adrian Munkh   A/R
       G. de St. Etienne

S238 STEPHANI, Claus   1938 –
       Hans Buchenländer   R
       Ion Bucovineanu
       Gerch Cronstätter
       Hans Eisenthaler
       Peter Martini
       Hans Michelsberg
       Claus Werner
       Peter Werner

S239 STEPHENSON, Carl   1893 –
       Stefan Sorel   A/J

206

S24o STERN, Leonore   1885 –
        A. Noel   R
        Lola Stein

S241 STERNBERG, Gertrud   1899 –
        Gertrud Isolani   K/R
        Ger Trud

S242 STERRY, Dankwart   19o1 –
        Carl Toepfer   J

S243 STETTNER, Johann Friedrich
        Rudolph Siegmar

S244 STIEBER, Hans
        Norbert Norton   SF

S245 STIEBLER, Gisela   1926 –
        Gisela Tölle   J

S246 STIEHL, Hans Adolf   1922 –
        Hans Stilett   R

S247 STILLARIUS, Willy
        Robert Kott
        Jim Parker
        Robert Sills
        Arthur Ernst Thoman

S248 STIMPFL, Karl   1911 –
        Karl J. Stym   R

S249 STINDE, Julius   1841 – 19o5
        Alfred de Valmy   R

S25o STITZ, Evelyn   1934 –
        Evelyn Sanders   R

S251 STITZ-ULRICI, Rolf   1922 –
     Rex Corbett   J/K/R/SF
     Hans Korda
     Hans Rodos
     Rolf Ulrici

S252 STOCKHAMMER, Nikolai
     Jo Arming   SF
     Peter Danner

S253 STOCKHAUSEN, Elisabeth   1921 –
     Lisa Stromszky   R

S254 STÖHR, Kurt Reinhold   1920 –
     Gert Linden   R

S255 STÖPPLER, Sonja   1922 –
     Sonja König   R

S256 STORANDT, Barbara
     Barbara Branch   R

S257 STRACHWITZ, Hubertus-Kraft von   1879 –
     Kurt von Leyden   R

S258 STRADAL, Otto   1911 –
     Heinz Prätorius   J/R

S259 STRÄTLING, Barthold   1927 –
     Christian Meinwerk   J/R

S260 STRAMM, Inge   1903 –
     Helle Hall   R

S261 STRASSL, Hubert   1941 –
     Hogarth Brown   F/H/SF
     Ray Cardwell (mit Hans Feller)
     Madman Curry
     Hugh de Rais
     Hugh Walker

S262 STRASSNER, Christina   1886 – 1964
        Lisbeth Burger   J/R

S263 STRAUSS, Gerlinde   1933 –
        Linda Strauß   R

S264 STREIT, Kurt W.   1921 –
        George C. Aileron   J/R
        Elisabeth Streit

S265 STRILLER, Hans
        Bill Webster

S266 STROBEL, Edgar   1899 – 1973
   ·   Jan Boysen   K/W
        Nils Krüger

S267 STROBL, Alwin
        Al Strong   W

S268 STROEHMER, Hans-Erich   1921 –
        Jack E. River   W

S269 STRORIEDL, Gustav   1893 –
        Gustav Horstl   R
        Alexander Mark

S27o STRUBBERG, Frederic Armand   1806 – 1889
        Armand   A
        Norwald

S271 STRUBE, Wilhelm   1925 –
        Martin Wendland   J/K/R

S272 STRÜBE, Hermann   1879 – 196o
        Hermann Burte   R

S273 STUBMANN, Peter Franz   1876 – 1962
        Thomas Klingg   R

S274 STUCK, Paula   1900 –
        Emilia Molinari   R
        Paulette Past

S275 STUDINSKI, Walther   1905 –
        John Stanmore   R

S276 STÜTZER, Herbert Alexander   1909 –
        Herbert Alexander   J/R

S277 STUMPE, Johannes   1936 –
        Jo Pestum   J/R/SF

S278 SUCKERT, Dagmar   1944 –
        Tina Österreich   R

S279 SÜDEKUM, Hubert   1905 – 1960
        Arno Beckmann   R

S280 SÜS, Else   1900 –
        Else Grabon   R

S281 SÜSS, Ute
        Jean Lafitte (VP)   A/R
        Judith Parker

S282 SUHL, Leonore   1922 –
        Leonore Troost-Falck   R

S283 SUTTNER, Bertha   1843 – 1914
        Jemand   R

S284 SWENNEN-SCHLICK, Ulrike   1954 –
        Ulrike Schlick   J

S285 SWIECA, Hans Joachim   1926 –
        Rolf Lasa   A/E/R
        Joachim Lehnhoff

S286 SWOSSIL, Ingrid   1944 –
        Ingrid Lissow   J

210

S287 SZUSZKIEWICZ, Hans
Peter Harrison   R

Too1 TACKMANN-OELBERMANN, Hannelie   1922 –
    Hannelie Oelbermann   R

Too2 TAGGER, Theodor   1891 – 1958
    Ferdinand Bruckner

Too3 TANNEWITZ, Hans-Joachim   19o2 –
    Harald Hata   R

Too4 TAUBERT, Sigfred
    Jonny Briggs   A/W
    Ted Clark
    Jack Finley
    Bill Grey
    Ben Houston
    Garry Jackson
    Charles Patrick
    Tex Richards
    Fred Sander

Too5 TAUTPHOEUS, Franz von   19O8 – 1985
    Franz Taut   A/R

Too6 TAYENTHAL, Wilhelm   1896 – 1966
    Hans Rohmer   A/R
    Alexander Thayer

Too7 TEGTMEIER, Ralph   1952 –
    Victor Sobek   F

Too8 TEMME, J. D. Hubertus
    Heinrich Stahl

Too9 TENKRAT, Friedrich   1939 –
    Alexa Alexandra   H/K/R/W
    Mark Baxter (VP)
    Desmond Black (VP)
    M. G. Braun (PP)
    John Cameron (VP)
    Frederic Collins (VP)
    Cliff Corner (VP)
    Jerry Cotton (VP)

Jason Dark (PP)
Brian Ford
Fred Henry (VP)
Anne Karen
Inspektor Kennedy
Robert Lamont (VP)
A. F. Morland
Dean Morris
A. F. Mortimer
M. R. Richards (VP)
Jack Slade (VP)
Franco Solo (VP)
John Spider (VP)
Edgar Tarbot
Eve Tarbot
Fred Treath

To1o TESKE, Günter
    Herbert Kiessling

| To11 TETZLAFF, Irene | 19o9 – |
| Renate Mühlbach | R |

| To12 TETZNER, Ruth (geb. Wodick) | 1917 – |
| Ruth Hallard | J/R |

| To13 THADDEN, Wiebke von | 1931 – |
| Wiebke Fesefeldt | J |

| To14 THALHAMMER, Hans | 1892 – 1973 |
| Thaddäus Erlen | J/R |

| To15 THARAU, Walter | 1921 – |
| Peter Laregh | R |

To16 THAU, Martin
    Ringo Hurricane (VP)   K/W
    Everett Jones (VP)
    Porter Martin
    Scott F. Scott (VP)

To17 THEBIS, Hansgünter	1925 –	
John O'Guenther	J/K/W	
To18 THEBIS, Hilde	1896 –	
Hilde Frick	J/R	
To19 THELE, Catharina	188o –	
C. Bachem-Tonger	A/R	
To2o THELEN, Albert Vigoleis	19o3 –	
Leopold Fabrizius	R	
To21 THEUERMEISTER, Käthe Ella	1912 –	
Helga Henning	J	
To22 THIEME, Gottfried	1898 –	
Ans van Breda	A/SF	
J. G. Thieme		
To23 THIEME, Paul	1887 –	
Paul Stau	R	
To24 THÖNE, Karl	1897 –	
Walter Hess	J/SF	
To25 THOMA, Ludwig	1867 – 1926	
Peter Schlemihl	R	
To26 THOMAS, Alexander		
Axel Alexander	SF	
To27 THOMAS, Uwe A.		
Thorn Forrester (VP)	SF	
To28 THON, Wolfgang		
Andrew Mason	R	
To29 THULCKE, Maja-Margarete	1879 – 1968	
Fritz Geyer	R	
To3o THURAU, Rolf	1953 –	
Rolf Genius	R	

214

To31 TIADEN, Heinrich
  H. Denita
  H. Nedait
  Onkel Theobald

To32 TICHY, Josef
  Otto Kühn (SP)   Ü

To33 TIECK, Ludwig   1773 – 1853
  Gottlieb Färber   R
  Peter Lebrecht

To34 TIMM, Herbert   1916 – 1987
  Bert Brix

To35 TIMPE, Paul
  Paul Hain
  Paul Rosenhain

To36 TINTELNOT, Renate   1941 –
  Marion Alexi   R
  Karin Graf (VP)
  Nina Nicolai

To37 TIPPELSKIRCH, Wolf-Dieter von 192o –
  Susan Termeulen   J

To38 TLUCHOR, Alvis   1869 – 1939
  A. Th. Sonnleitner   R

To39 TOBIEN, W. J.
  Tobias Grant   H

To4o TOBIS, Ernst
  Patty Frank

To41 TOGGWEILER, Tobias   1954 –
  Nora Game   R

To42 TRAINDL, Franz   1899 –
  Ludwig Niart   J/R

To43 TREBSDORF, Marie   1890 –
     Marie Blank-Eismann   R

To44 TREUNER, Hermann   1899 –
     Hans Terno   K/R

To45 TRIMM, Thomas   1884 – 1966
     Ehm Welk   J/R

To46 TROPPENZ, Walter   1897 –
     Bruno S. Wiek   K/R/SF

To47 TROTHA, Hela Margarethe von
     Hela von Dahlberg   R

To48 TROTT, Magda
     Lena Mageda
     J. Marein
     Rud. Mavege
     Lena Torahn

To49 TRUGER, Walter
     Michael Wallbrück   R

To5o TSCHUGGEL ZU TRAMIN, Peter R. Oswald von   1932 – 1981
     Peter von Kleynn   Ph/R/SF
     Peter von Tramin

To51 TUCHOLSKY, Kurt   1890 – 1935
     Kaspar Hauser   R
     Peter Panter
     Theobald Tiger
     Ignaz Wrobel

To52 TUMMELEY, Werner   1884 –
     Werner Bernhardy   Ph

To53 TURBAN, Fritz
     Jerry Cotton (VP)   K

Uoo1 UECKERMANN, Dieter
    Tensor McDyke   SF
    Michael D. Tensor

Uoo2 UHLIG, Monika   1927 –
    Monica Bentiveni   R

Uoo3 UHLMANN, Alexander   1876 – 1918
    Alexandre Darier   Ph/R
    Kazlakoff
    Plutus
    Alexander Ular

Uoo4 ULBRICH, Peter P. F.
    Alex Carson   W
    Adam Clark
    Charles McKay (VP)
    C. C. Slattery

Uoo5 ULLSTEIN, Heinz   1893 – 1973
    Heinz Hull   R

Uoo6 UNGER, Gert F.   1921 –
    G. F. Bucket   W
    Broderick Old
    A. F. Peters

Uoo7 UNGER, Rudolf   1921 –
    Ralf Martens   K/R

Uoo8 UNGERN-STERNBERG, Peter Alexander von   1806 – 1868
    Alexander von Sternberg   Ph

Uoo9 UNSELT, Karl
    Franz Anton
    Erich Hánka

Uo1o URBANETZ, Ralph   1898 – 1971
    Ralph Urban   R

Uo11 UTERMANN, Wilhelm   1912 –
  Mathias Racker   R
  Diederich Reunert
  Wilhelm Roggersdorf

Uo12 UTIGER-STAUB, Margrit   1936 –
  Margrit Staub   J

Voo1 VEITER, Theodor   1907 –
        Theoderich d'Agunto   R
        Valentin Virgener

Voo2 VEKEN, Hildegard   1920 –
        Katharina Kammer   J/R

Voo3 VELTE-KRÄMER, Irene
        Sandy Madison   R

Voo4 VENT, Karl Michael
        Michael Sullivan   SF/W

Voo5 VERBEEK, Helma   1913 –
        Helma Cardauns   R

Voo6 VETHAKE, Kurt   1919 –
        Axel Busch   J/K/R/SF
        Patrick Hampton
        Peter Ott
        Teddy Parker

Voo7 VETSCH-HÜBSCHER, Jakob
        Mundus

Voo8 VISCHER, Friedrich Theodor   1807 – 1887
        Allegoriowitsch   R
        Mystifizinsky
        Philipp Ulrich Schartenmeier

Voo9 VISCHER, Melchior   1895 – 1975
        Emil Fischer   J/R

Volo VLCEK, Ernst   1941 –
        Alfred C. Curtis   H/SF
        Regine Lysanek
        Adam Rice (mit H. W. Mommers)
        Esther Maria Schreyer
        Paul Wolf

Vo11 VOEHL, Uwe
    Heinrich Delaville   H
    Logan Derek (mit U. Anton)

Vo12 VOGEL, Johannes   1895 –
    E. A. Witschas   R

Vo13 VOGEL-DUCOMMUN, Aline   1889 – 1986
    Aline Volangin   R

Vo14 VOGT, Karl Anton
    Konrad Vauth

Vo15 VOIGT, Gudrun
    George P. Gray (mit Karl Voigt)   K/SF
    Charles G. Voigt (mit K. Voigt)
    Io Voigt

Vo16 VOIGT, Karl
    Jerry Cotton (VP)   K/SF
    Gaston Gevé
    George P. Gray (mit Gudrun Voigt)
    Charles G. Voigt (mit G. Voigt)

Vo17 VOLKMANN, Erika Hildegard   1923 – 1962
    Mona von Volkgraf (SP)   R

Vo18 VOLKMANN, Horst Rolf   1913 – 1981
    Theo Fritze   K/R
    Mona von Volkgraf (SP)
    Agnes Wolff
    Fred von Wolff

Vo19 VOLKMANN, Klaus   1913 –
    Peter Grubbe   R

Vo2o VOLKMANN, Paul   1914 –
    Peter Wipp   J/R

Vo21 VOLLMER-RUPPRECHT, Ruth   1916 –
    Ruth Geede   R

Vo22 VOLTZ, Willi   1938 – 1984
      Detlev Kaufmann   F/J/SF
      Ralph Steven
      William Voltz

Vo23 VOORT, Nicolas van der   SF
      Edward Multon

Vo24 VORDERMAYER, Karl
      Karl Vogg

Vo25 VORTKORT, Walter   1935 –
      Walter Kort   J

Vo26 VOSS, Erich von   1895 – 1968
      Harry Grenzer   J/R
      Walter Klinger
      Felix Oder
      Ludwig Osten
      Eric Vau

Vo27 VOSS, Willi   1944 –
      Jerry Cotton (VP)   A/K/R/W
      Daniella Daniels
      Benito Martincz (VP)
      Frederick Nolan (SP)
      E. W. Pless

Vo28 VUJICA, Peter   1937 –
      Peter Daniel Wolfkind   Ph/R

Woo1 WAECHTER, Ludwig Leonhard   1762 – 1837
      Veit Weber   R

Woo2 WAGNER, Günter   1925 –
      Wally Jacobs   J/R

Woo3 WAGNER-THOMÉ, Elsbeth   192o –
      Anne Merian   R

Woo4 WAITZBAUER, Erwin
      Edgar Reining   K
      Victor Thul

Woo5 WALLISFURTH, Rainer-Maria   1919 –
      Douglas Baacon   J/R/SF
      T. H. Thomas

Woo6 WALLNER, Christian   1948 –
      Johannes Winkler   R

Woo7 WALLNER-THURM, Therese
      L. v. Saltera
      L. von Saltern

Woo8 WALLON, Alfred   1957 –
      Martin Kirchner   A/K/R/W
      Chuck Malone
      Clint Morgan
      Al Wallon
      Claudine Wallon

Woo9 WALTER, Dieter   195o –
      Dorothea Daniels   J/R
      Martin Renz
      Vicky Scharbuch

Wo1o WALTER, Paul
      Guido von Fels

Wo11 WALTERMANN, Josef   1885 –
      J. v. d. Winterlyt   R

Wo12 WALZ, Werner
     Lasko Vézèrere

Wo13 WANDAU, Luise Elisabeth von   1913 –
     Leila von Malchus   R

Wo14 WARBECK, Axel und Gertraud
     Sandra Parker   R

Wo15 WASER-GAMPER, Esther   19o4 –
     Esther Gamper   R

Wo16 WASMUND, Fried
     Dr. Stefan Frank (VP)   R
     Sybille Nordmann

Wo17 WASSER, Karl   1938 –
     Jack Everett   A/W
     Clay Hunter
     Everett Jones (VP)
     Jean Lafitte (VP)
     Benito Martinez (VP)
     Charles McKay (VP)
     Jack Slade (VP)

Wo18 WASSERBURG, P.
     Philipp Laicus

Wo19 WASSERMANN, Marta   1889 – 1965
     Marta Karlweis   R

Wo2o WASSERTHEURER, Grete (verh. Weber)   1939 –
     Elanor Ascot   R
     Rosel Bäumer (VP)
     Hanne Bergen (VP)
     Bettina Clausen
     Marisa Frank
     Lorena Franklin
     Dr. Rudolf Koch
     Gert Rothberg
     Gretl Theurer
     Gudrun Wiegand

Wo21 WATKINS, Harry G.
      Glenn Douglas (VP)   H
      Marcos Mongo (VP)

Wo22 WATZINGER, Carl   1908 –
      Bernhard Stauffer   R

Wo23 WATZKE, Helmut   1942 –
      Andreas Alexander   J/R
      Jürgen W. Sternberg

Wo24 WEBER, Ernst Johann Friedrich
      Max Wing

Wo25 WEBER, Friedrich H.   1908 –
      Alois H. Salzer   R

Wo26 WEBER, H. H.
      Jerry Cotton (VP)   K

Wo27 WEBER, Hans-Ruedi
      Ralf Textor

Wo28 WEBER, Helmut
      Martin Rossmann   SF

Wo29 WEBER, Karl Heinz   1928 –
      Gerd Geerth   K

Wo3o WEBER, Klaus   1924 –
      Benno Rang   A

Wo31 WEBER-STUMFOHL, Herta   1908 –
      Hellmut Stosch   J

Wo32 WEDELSTAEDT-SCHELPER, Clara von   1884 –
      Clara Schelper   J/R

Wo33 WEEREN, Friedrich   1907 –
      Friedrich Deich   R

Wo34 WEGENER, Lo
    Lo Wege

Wo35 WEGENER, Manfred   1935 –
    John Cameron (VP)   A/K/SF/W
    Gregory Kern (VP)
    Calvin F. MacRoy
    Fred McMason
    Jack Slade (VP)
    Fred Wagner
    Fred Wagoner
    Fred M. Wayer
    D. C. Wayne

Wo36 WEHNER, Karl-Bruno   1906 – 1975
    Peter Sorgenfrei   K/R

Wo37 WEHRLI-KNOBEL, Betty   1904 –
    Betty Knobel   R

Wo38 WEIDENMANN, Alfred   1916 –
    W. Derfla

Wo39 WEIGLE, Fritz   1938 –
    F. W. Bernstein   R

Wo4o WEIL, Robert   1882 –
    Gustav Holm   R/SF
    Homunkulus

Wo41 WEILEN, Helene   1898 –
    Helene Mandl-Weilen   J

Wo42 WEIMER, Gerda   1926 –
    Gerda West   J

Wo43 WEINBERG, Gerbeth
    Irina Fabian   R
    Dr. Stefan Frank (VP)
    Helga von Hagen

Wo44 WEINERT, Alois   1875 – 1945
        Louis Weinert-Wilton   K

Wo45 WEINLAND, Manfred
        Roger Damon (SP)   H
        Robert Lamont (VP)
        (auch mit W. K. Giesa)
        Mike Shadow (VP) (auch mit W. K. Giesa)
        Olsh Trenton (VP) (auch mit W. K. Giesa)

Wo46 WEINRICH, Franz Johannes   1897 – 1978
        Heinrich Lerse   R

Wo47 WEISENBORN, Günther   1902 – 1969
        Eberhard Foerster   R
        Christian Munk

Wo48 WEISKOPF, Margarete   1905 –
        Alex Wedding   J

Wo49 WEISS, Friedrich   1920 –
        Fritz Wöss   R

Wo5o WEISS, Hansgerhard   1902 –
        Hans Gerhard   J/R

Wo51 WEISSENGRUBER, Maria   1922 –
        Maria Raml   J

Wo52 WEISSFELD, Hans Ferdinand   1887 –
        Axel Jeffers   A/W

Wo53 WEISSFELD, Hans-Peter   1917 –
        Georg Altlechner   A/R/SF/W
        Sepp Ferngruber
        Peter Gamsler
        Martin Jäger
        Axel Jeffers
        John Jersey (VP)
        Freddy Koweit
        Käthe Lambrecht
        Sebastian Martini

Rita Moll
Ludwig Starnberger

Wo54 WELK, Agathe   1892 – 1974
      Agathe Lindner   R

Wo55 WELSCH, Gerhart   1913 –
      Harry Klinger   R

Wo56 WENDELMUTH, Franz   19o1 –
      Peter Schnee   A/K

Wo57 WENDT, Ingeborg   1917 –
      Ruth Rödern   J

Wo58 WENDT, Margret   1935 –
      Margret Steenfatt   J

Wo59 WENDTLAND, Thomas Maria   1929 –
      Thomas Maria Lundbergk   R

Wo6o WENSKE, Helmut   194o –
      Chris Hyde   H/R
      Henry Quinn (VP)
      Ted Slade (SP)

Wo61 WERDER, Mario
      Frederic Collins (VP)   H/SF/W
      Frederic Crane
      Mark Feldmann
      Everett Jones (VP)
      Robert Lamont (VP)
      Dan Roberts

Wo62 WERLBERGER, Hans   1906 – 1969
      Hans Kades   K/R

Wo63 WERNER, Helmut   1939 –
      Brian Elliot (VP)   H/W
      Werner Helbach
      Hal W. Leon
      Charles McKay (VP)

Frederick Nolan (SP)
Jack Slade (VP)
Hal Warner

Wo64 WERNER, Willy	1894 – 1969
Peter Dick	R
Wo65 WERREMEIER, Friedhelm	193o –
Jacob Wittenbourg	K
Wo66 WEST, Michael	1921 – 1985
Max Voegeli	R
Wo67 WESTERICH, Thomas	1879 –
Graf E. von Teja	SF
Wo68 WESTPHAL, Fritz	1921 –
Peter Stephan	J/R
Wo69 WETTENGEL, Eduard	1889 – 1963
E. W. von Soelnitz	K/R/SF
Wo7o WETZKY, Karl von	1935 –
Karl Wrchowetzky	SF
Wo71 WEYAND, Willy	
Karin Haardt	R
Wo72 WEYRAUCH, Wolfgang	19o4 – 198o
Joseph Scherer	R
Wo73 WIBMER, Fanny	189o –
Fanny Wibmer Pedit	R
Wo74 WICKENBURG, Erik	19o3 –
Robert Steinen	J/R
Wo75 WIDMAYER, Frank	1938 –
Frank Baer	J/R
Wo76 WIECKBERG, Irmela	1888 –
Irmela Linberg	R

Wo77 WIEDEBACH-NOSTITZ, Betina v.   191o –
    Betina Ewerbeck   R

Wo78 WIEDERMANN, Otto   1891 –
    Leo Wied   J/R

Wo79 WIEDMANN, Hans   1912 –
    Johannes Kai   R

Wo8o WIEGHARDT-LAZAR, Auguste   1887 –
    A. Lazar   J
    Mary Macmillan

Wo81 WIEMER, Rudolf Otto   19o5 –
    Frank Hauser   J/R

Wo82 WIEMER, Susanne   ? – 1991
    Anja Anderson   A/H/K/R/W
    John Cameron (VP)
    Jerry Cotton (VP)
    John Gillon
    Kelly Kevin
    Jean Lafitte (VP)
    Robert Lamont (VP)
    Rebecca LaRoche (VP)
    Gary Mantagna
    Jack Slade (VP)
    Franco Solo (VP)
    Lafcadio Varennes
    John Wyman

Wo83 WIEN, Ludwig   1926 –
    Ludwig Rheude   R

Wo84 WIENAND, Hans Werner
    Jerry Cotton (VP)   F/K/SF/W
    John Tyler
    Hans W. Wiener

Wo85 WIESINGER, Karl   1923 –
    Max Maetz   R
    Claus Ritsch

Wo86 WIEST, K.
      C. W. Weston   K

Wo87 WILCKE-PAUSEWANG, Gudrun   1928 –
      Gudrun Pausewang   J/R/SF

Wo88 WILHELM, Leopold
      W. Hopkins

Wo89 WILHELMI, Karl
      Rex Digger   K
      Franco Solo (VP)

Wo9o WILKEN, Uwe Hans   1937 –
      Fred Fisher   A/W
      Tom Frisco (VP)
      Benito Martinez (VP)
      Colin Scope
      Les Willcox

Wo91 WILLMANN, Hans-Frieder   1922 –
      Fred Wiesen   J/R

Wo92 WILLMS, Bernhard
      N. E. Gamer   R/W
      Ben Williams

Wo93 WIMMER, Max
      Mac Whymer   A/SF

Wo94 WINCKELMANN, Joachim
      George Joachim

Wo95 WINDHAGER, Juliane   1912 –
      Lily Häuptner

Wo96 WINHEIM, Marie
      Dr. Stefan Frank (VP)   R

Wo97 WINKLER, Dieter   1956 –
      Robert Craven (PP)   H
      (mit Wolfgang E. Hohlbein)
      siehe auch unter Pseudonym Dieter Winkler!

Wo98 WINKLER-EYERLE, Ursula   1927 –
      Usch Eyerle   R

Wo99 WINKLER-SÖLM, Oly   1909 –
      Ly Carol   J/R
      Lena Lena
      Oly Sölm

W1oo WINNING, Wolfgang
      Luke Sinclair   W

W1o1 WINTERFELD, Henry   1901 –
      Henry Gilbert   J
      Manfred Michael

W1o2 WISHEU-MARTENS, Albert   1892 –
      Albert Martens   R

W1o3 WISURA, Emil   1903 –
      W. Arusi   R

W1o4 WITTEK, Erhard   1898 – 1981
      Fritz Steuben   A/J

W1o5 WODKE, Ingrid
      Jane Oliver   R

W1o6 WÖLFLINGSEDER, Kurt   1934 –
      Kurt Wölfflin   J/R

W1o7 WÖLL, Nikolaus   1880 – 1968
      Heinrich Norden   R

W1o8 WÖRISHÖFFER, Sophie   1838 – 189o
     S. Fischer   A/R
     A. Harder
     W. Höffer
     Sophie von der Horst
     K. Horstmann
     W. Noeldechen

W1o9 WOHLFAHRT, Ignaz   1900 –
     Enid Kerstien   R

W11o WOHLRATH, Elmar   1952 –
     Robert Craven (PP)   H

W111 WOJAHN, Erika   1911 –
     Erika Engel   J

W112 WOLF, Gerhard   1927 –
     Kommissar Burkley   J/K/R

W113 WOLFF, Dietrich   1923 –
     Matthias Riehl   J/R

W114 WOLFF, Oskar Ludwig Bernhard
     Plinius der Jüngere

W115 WOLFFHEIM, Irmgard   1924-
     Irmgard Köster

W116 WOLLSCHLÄGER, Alfred Ernst Johann   1901 –
     A. E. Johann   R

W117 WORM, Eberhard   1896 –
     Ferry Rocker (mit Lena Eschner)   K/R

W118 WÜST, Leni   1907 –
     Leni Micharelli   J/R

W119 WÜSTENHAGEN, Eugenie   1892 –
     Eugenie Krafft   R

W12o WUNDERER, Richard   1926 –
      Richard Waldegg   R

W121 WUNDERER, Richard jun.
      Sara Carnaby   H/K/R
      Frederic Collins
      Jerry Cotton (VP)
      Jason Dark (PP)
      Brian Elliot (VP)
      Andrew Hathaway
      Kojak
      Frank de Lorca (VP)
      M. R. Richards (VP)
      John D. Verden

W122 WURTZ, Johannes   19o8 –
      Hans Waldneudorfer   R

W123 WYSS, Hedwig   1889 –
      H. Weiss-Sonneburg   J/R

Zoo1 ZAHLTEN, Horst Günther   1922 – 1978
        Marco Janus   SF

Zoo2 ZAHNER, Werner
        Mark Hayn   W

Zoo3 ZAK, Annemarie   1913 –
        Annemarie Auer   R

Zoo4 ZAPP, Arthur
        V. E. Teranus

Zoo5 ZBORON, Hagen   1942 –
        Leo Günther   SF

Zoo6 ZECH, Alfons   19o4 –
        Peter Rauenberg   K/R/W

Zoo7 ZEDDIES, August   1897 – 1957
        Frank Heidmark   J/R

Zoo8 ZEILER, Rudolf   1893 –
        Hans Nimmerruh   R

Zoo9 ZEISSIG, Irma   1895 –
        H. Sirrah   R

Zo1o ZENNER, Klaus   1915 –
        Klaus Sebastian   J/R

Zo11 ZENNER, Linda   1963 –
        Linda Mueller   R

Zo12 ZETTNER, Andreas   1916 –
        Wolf Kerbholz   E
        Martin Michael

Zo13 ZGLINICKE, Friedrich von   1895 –
        Friedrich Pruss   J

Uo14 ZIEGLER, Herman E. 1908 –
    Walter Verenna R
    Mano Ziegler

Zo15 ZIEGLER, Siegfried 1902 – 1984
    P. Brikisto R

Zo16 ZILLICH, Heinrich 1898 – 1988
    Lutz Tilleweid J/R

Zo17 ZILLIG, Werner 1949 –
    Heinrich Werner SF

Zo18 ZIMMER, Egon-Maria 1910 –
    C. C. Bergius A/R

Zo19 ZIMMERMANN, Fritz Max
    Frederik Freidonn
    Fritz Freidonn

Zo2o ZIMMERMANN, Ilse
    Sophia Lindt R

Zo21 ZINNIKER, Otto 1898 – 1969
    Hans Geratewohl R
    Tobias Kupfernagel

Zo22 ZIVIER, Georg 1897 –
    Hans Gregor R

Zo23 ZOBELTITZ, Erika von 1892 –
    Renate Uhl

Zo24 ZÖCKLER, Hedi 1900 –
    Rose Planner-Petelin J/R

Zo25 ZÖLS, Karl-Heinz 1922 –
    Stefan Korff K

Zo26 ZOTTMANN, Thomas Michael
    M. Z. Thomas J

Zo27 ZSCHÖTTGE, Luise   19o8 –
    Luise Hynitzsch   J

Zo28 ZUBEIL, Rainer   1956 –
    Helmut Horowitz   F/K/R/SF/Ü
    Philip McDaniel
    Henry Quinn (auch mit U. Anton)
    Robert Quint (auch mit E. Eppers und W. K. Giesa)
    John Spider (VP)
    Tommy Z.
    Thomas Ziegler

Zo29 ZUCKMAYER, Alice (geb. von Herdan)
    Alice Herdan-Zuckmayer   R

Zo3o ZWACK, Heinz   1936 –
    Heinz Nagel   Ü

Zo31 ZWEIG, Friderike   1882 –
    Friderike Maria von Winternitz

Zo32 ZWERENZ, Gerhard   1925 –
    Gert Amsterdam   E/R
    Peer Tarrok

Zo33 ZWING, Rainer   1936 –
    August Kühn   R

Zo34 ZWIRNER, Erich   1912 –
    Daniel Wächter   J

Teil B

AABA AABA: Ro91
ABEL, Marianne: Ho62
ABEL, W. K.: Koo1
ABELSEN, Olaf K.: Koo1
ABS: S132
ABT, Terenz: Bo73
ACKNER, Elisabeth: H118
ACTON, John D.: Do55
ADAM, Grete: Joo1
ADAM-JÄCKEL, Grete: Joo1
ADAMS, Ken: K185
ADAMS, Nora: S118
ADAMUS, Franz: B225
ADELSBERG, Carl: Coo8
ADLER, Joe: Ko13
ADLER, Karl: Fo69
ADRON, Lutz: Go48
AFRICANUS, W.: H147
AGUNTO, Theoderich d': Voo1
AHEMM, Hilde: Mo53
AHLSEN, Leopold: Ao27
AHRENS, Hedwig: S157
AICHNER, Fridolin: Bo72
AICK, Gerhard: Ao14
AILERON, George C.: S264
AKEN, Wyn van: So44
ALA, John: So18
ALADIN, Rex Albert: H1oo
ALAMO, Bill: Mo88
ALBERT, Ernst: H14o
ALBERT, L.: H121
ALBINI, J.: Do16
ALBRAND, Martha: Lo82
ALBRECHT, H.: M126
ALDEN, Claus: Ko13
ALDEN, Thomas: Ko13
ALEXANDER, Alex: K158
ALEXANDER, Andreas: Wo23
ALEXANDER, Anne: Fo84
ALEXANDER, Arno: Bo74
ALEXANDER, Axel: To26
ALEXANDER, Fritz: Ao37
ALEXANDER, Günter: Poo8
ALEXANDER, Herbert: S276
ALEXANDRA, Alexa: Too9
ALEXANDRE ALEXANDRE: Ao19

ALEXI, Marion: To36
ALEXIS, Lionel: S118
ALEXIS, Willibald: Ho17
ALKEN, Ina: Ao31
ALLAN, Fred: K2o8
ALLEGORIOWITSCH: Voo8
ALLISON, Jim: B155
ALM, Horst: H169
ALMAN, Karl: K2oo
ALPEN, Ernest van: Ho37
ALSEGGER, Barbara Maria: Go9o
ALTAN, Setffi von: Fo9o
ALTENAU, Brigitte: Ao32
ALTENAU, Edith von: H115
ALTENBERG, Peter: Eo58
ALTENBERGER, Jakob: B253
ALTENBURG, Olga Elisabeth von: Joo3
ALTENBURG, Peter: Ko18
ALTER, Peter : Bo57
ALTHAUSEN, Waltraut: H1o7
ALTLECHNER, Georg: Wo53
ALT-SONNECK, Olga Elisabeth: Joo3
AMBER, Ute: Ao3o
AMBERG, Lorenz: Jo27
AMBERG, Stefan: B1oo
AMBESSER, Axel von: Ooo9
AMBORN, Erich: 158
AMBOS, Hello: M125
AMENDA, Alfred: Ko26
AMERY, Carl: Mo34
AMMANN, Esther E.: B1o6
AMMER, K. L.: Ko66
AMSTERDAM, Gert: Zo32
AMYNTOR, Gerhard von: Go24
ANATOL, Andreas: Fo92
ANDEN, Richard: Co37
ANDERER, Achim: S191
ANDERS, Bo: Mo7o
ANDERS, Deez: Lo92
ANDERS, Harriet: B164
ANDERS, Harry: B163
ANDERS, Helmut: Do15
ANDERS, Paul: B144
ANDERS, Ralph: Po86; Po87
ANDERS, Vera: M128
ANDERSON, Anja: Wo82

ANDERSON, Edith: S117
ANDERSON, Melissa: Po47
ANDREAS, Bert: Ko99
ANDREAS, J. H.; Ko99
ANDREAS, Jürgen: Ao22
ANDREAS, Stephan: K173
ANDREE, Louis: Poo2
ANDREW, Bert: Ao35
ANET, Claude: S1o9
ANGE, L. v.: Ao26
ANGSTMANN, Gustl: Ao39
ANNERS, Wilmke: S175
ANRAINER, Traudl: Eo2o
ANTARES, Enrico: S157
ANTHES, Natalie: B228
ANTHONY, Albert: Co37
ANTIBES, Arlette: M13o
ANTON, Emil: Bo16
ANTON, Ferdinand: K111
ANTON, Franz: Uoo9
ANTON, Robert: Poo9
ARAND, Charlotte: Soo2
ARAND, Lilo: H142
ARBORG, Sven: Fo88
ARCOL, Marguerite: Co2o
ARDEN, Robert: H142
ARELLANO, Peter: B148
ARIZONA-TIGER: B211
ARLE, Marcella d': B143
ARMAND: S27o
ARMING, Jo: S252
ARNAU, Frank: So8o
ARNBERG, Tilly von: So55
ARNDT, Axel: H158
ARNDT, Dietrich: M118
ARNEMANN, Fred: Po43
ARNOLD, Theodor Ferdinand Kajetan:
    Ao51
AROL, Robert: Mo89
ARTHUS, Th.: Po14
ARTINGER, Annemarie: S143
ARTNER, Robert: Eo68; Mo71
ARTUR, Georg: Ooo5
ARUBA, Ferdinand: Oo16
ARUSI, W.: W1o3
ARX, Edith Katharina von: Do77

ASCOT, Elanor: Wo2o
ASHER, Roderick: R1oo
ASIMUFF, Isaak: Ao41; Ho26
ASKIN, Samantha: Ro25
ASKON, Tom: Do34
ASTARION, Theodor: Po73
ASTOR, C.: Lo77
ASTOR, Frank: B211; Go98
ATKINS, Jessica: Ro25
ATLANTICUS: Bo1o
AUBERGER, Georg: Bo81
AUE, Walter: Coo2
AUER, Annemarie: Zoo3
AUERBACH, Berthold: Bo23
AUKAMP, Peter von: K191
AUPREE, Laura: Bo13
AXT, Maria: No35

BAACON, Douglas: Woo5
BACH, Barbi: Po84
BACH, Christa: H2o7
BACH, Frank O.: H14o
BACH, Michaela: Lo4o
BACH, Peter W.: Ko89
BACHEM, Bele: B152
BACHEM-TONGER, C.: To19
BAEDEKER, Peer: Hoo8
BAER, Frank: Wo75
BÄR, H. H.: Lo54
BÄUMER, Rosel: Wo2o
BAISCH, Cris: Boo7
BAJOX, Reddy: Boo8
BAKER, Mary: Bo53
BAKER, Susan: Ho75
BAKER, Vivian: Do82
BALL, John: S118
BALL, Kurth Herwarth: Do7o
BALMORE, Cedric: K112
BALTEN, Eric: Bo76
BAMM, Peter: Eo47
BANDI, Peter: B246
BANDOL, Charlotte: H168
BAPTIST, Jean: Fo11
BARABAN, Peter: Do49
BARBE, Till: Bo18
BARCLAY, Alex: Eo13

BARDA, J. H.: B147
BARDT, Julius: B25o
BARETT, C. A.: Fo47
BARKER, Fred: K146
BARNER, G. F.: Bo25
BARNEWOLD, Ernst: No34
BAROL, Rana: Noo1
BAROTH, Hans Dieter: So61
BARR, Christopher: Fo37; Goo3
BARRAN, Ralph: Ro47
BARRAN, Rolf: Ro47
BARRING, Geo: B255
BARRING, Ludwig: S112
BARRINKH, Lentz de: Bo96
BARRISTER, Ben: S21o
BARRY, James: Fo37
BARRY, Roland: B248
BARRYMORE, John: K193
BARTH, Lois: Fo68
BARTON, Gil: Boo8
BARUTH, Friedrich von: Mo45
BARWIN, L. F.: Bo2o
BASSERMANN, Lujo: S112
BAUER, Bert: So24
BAUER, C. T.: B252
BAUER, Hedi: Bo29
BAUER, Maria Agnes: Ko28
BAUM, Ernst: B12o
BAUMANN, Bodo: Bo98
BAXTER, Dr.: K146
BAXTER, Mark: Ao41; Ao44; Ho59;
    Ho75; Ho98; Ko99; Mo31; Roo9;
    S118; S152; S192; Too9
BAYROS: Bo42
BEAUFORT, Sean: Ko91
BECK, John F.: Bo49
BECK, M. v. d.: Bo53
BECKER, Franziska: Bo54
BECKMANN, Arno: S279
BECKSTRAT, Bernd: Bo51
BEETZ, Dietmar: Bo6o
BEHM, Bill: Bo61
BEHM, Jonny: Jo18
BEHREND, Margarete: Ao53
BEHRING, Sylvia: Lo4o
BEHRINGER, Sabine: Eo7o

BEIGEL, Erika: Ioo1
BEJANOVA, Liliana: Bo99
BEKAL, Walther: Koo1
BEKKER, Jens: Go99
BEL, W. K.: Koo1
BELKA, W(illi): Koo1
BELL, Marisa: Ko84
BELL, Otto: Po22
BELL, W. K.: Koo1
BELLARMIN, Roger: S185
BELLINGEN, Barbara von: Poo4
BELLMANN, Dieter: Bo67
BEN, Big: Soo3
BENALTI, Alexander: Po22
BENDIX, Gerald: Eo65
BENEDETTI, Eugenio: H116
BENNET, Douglas: Go44
BENRATH, Henry: Ro16
BENSEN, Bettina: Ko98
BENTEEN, John: Do18; Eo65; K185
BENTIVENI, Monica: Uoo2
BENTLEY, Joy: Floo
BERANEK, Martin: Ho26
BERDA, Alexander: S219
BERG, Aja: M13o; Poo7
BERG, Axel: Ro33
BERG, Charlotte: Ro73
BERG, Kai: Bo96
BERG, Stefanie van: Lo58
BERG, Steffi von: S134
BERG, Uwe: Go91
BERGEDORF, Sylvia: Ao53
BERGEN, Detlef van: Ro82
BERGEN, Fedor Willi: Ho88
BERGEN, Gina: B175
BERGEN, Hanne: Wo2o
BERGEN, Henry: Fo88
BERGER, Axel: B255
BERGER, Berg: Ho45
BERGER, Carl Wilhelm am: Ao28
BERGER, Franziska: Ko14
BERGER, Linda: Eo22
BERGER, Mareike: Eo3o
BERGER, Ralf: Ko13
BERGFELD, Thorsten: M114
BERGHAMER, Lisa: Jo23

BERGHÖFER, Erika: Eo57
BERGIUS, C. C.: Zo18
BERGK, Alexander: Ko95
BERGMANN, Stefan: So31
BERK, Joachim: S13o
BERKA, Michael: S129
BERKELEY, Ann: L1oo
BERLEPSCH, E.: B129
BERN, H. von: Bo96
BERNARD, René: S2o4
BERNARDY, Ulla: Bo87
BERNAUER, Eva Maria: Ao56
BERND, Grote: Go78
BERND, Maximilian: Eo51
BERND, Traute: H115
BERNDORF, Jacques: Po69
BERNECK, Alrun von: M13o
BERNECK, Ludwig: S112
BERNEDER, O.: Ooo2
BERNER, Friedrich: Mo45
BERNER, Steffi: Do83
BERNFELD, Eleonore von: B229
BERNGATH, Ursula: Bo59
BERNHARD, Karl: Coo4
BERNHARD, Ludwig: Bo45
BERNHARDT, Klaus: Bo79
BERNHARDY, Werner: To52
BERNIG, Heinrich H.: K2oo
BERNIS, Rigos del: B155
BERNSTEIN, F. W.: Wo39
BERNSTORFF, Ruth: So3o
BERRY, Henry: Ioo4
BERRY, Roland: Eo56
BERT, Jo: Bo97
BERTHIER, Christian: Mo44
BERTRAM, Silva: Go99
BERTRANT, G.: S1o3
BERYLL, Thomas: Po22
BESTE, Dr. Richart: B114
BETKE, Lotte: Po55
BEUMER, Ulrike: So49
BEUTTEN, Hermann: B1o7
BEYVERS, Elfriede: Ko49
BIANCA-MARIA: Eo73
BIERI, Doris: Ho68
BIGGERN, Kathrein: H1o6

BILBO, Jack: Bo22
BILBO, Käpt'n: Bo22
BINDSEIL, Ilse: Eo5o
BINGS, Henry: B119
BIRD, Erik Allan: Foo6
BIRKEN, Heinz: Eo18
BIRKENAU, M. B.: B129
BIRKENBURG, Moritz von: H199
BIRKENSTEIN, Ulla: Go5o; So3o
BIRKLER, Hubertus: Eo79
BIRKNER, Friede: S226
BIXBY, Ax: Go35
BJERREGAARD, Henning: Po49
BLACHSTÄDT, CV.: Ro71
BLACK, Chrissie: S14o
BLACK, Desmond: Go64; Go65; Too9
BLACK, Ralph: S142
BLAIDE, Terence: Ho26
BLAKE, James: B132
BLAMASLA, Max: B13o
BLANK, Annelore: B217
BLANK-EISMANN, Marie: To43
BLANKENSEE, Theo von: B129
BLASIUS DER SPAZIERGÄNGER: S193
BLATTMÄCHER, Kall: Eo8o
BLAYN, Robert: Mo96
BLEEKER, Don: Ao53
BLIEDUNG, Ulrike: So49
BLOBEL, Brigitte: B135
BLOOD, John: Do82
BLUCO, Axel: B211
BLUM, Adolph: Go39
BLUNT, Charles: B2o4
BLYTON, Enid: B135
BÖER, Annelies: R1o1
BOEHEIM, Olly: Go21
BÖHME, Margarete: So56
BOELE, Wilhelm: Oo2o
BOGAT, Henry: H211
BOHLMANN, Hanni: Boo1
BOIS, Irene du: Lo35
BOIS, Jean du: Lo35
BOLDEN, Jack: No12
BOLVARY, Nina von: S157
BORGERS, Charles: B173
BORK, Teda: Aoo4

BORN, Matthias: B176
BORST, Jürgen: B212
BOSCH, Martha-Maria: Ho27
BOSTON, Don: Ko13
BOTH, Sergius: Fo61
BOWLES, Albert C.: Go66
BOWMAN, Frank: Bo32
BOY-LINDEN, Elmar: B1o4
BOYSEN, Cornelia: Ao12
BOYSEN, Jan: S266
BRACK, Buster: B188
BRACK, Monika: Eo45
BRADATSCH, Gertrud: So63
BRADUN, Johanna: B19o
BRADY, Jill: Ko78
BRAEK, Buster: B188
BRANCH, Barbara: S256
BRAND, B. Alec: B186
BRAND, Horst: B192
BRANDECK, Götz: Co17
BRANDEIS, B.: B129
BRANDEL-ELSCHNER, Käte: Eo42
BRANDENBURG, Evclync: K151
BRANDENFELS, Ina: S231
BRANDES, Sophie: Koo6
BRANDIN, Hans I.: B2o6
BRANDIS, Mark: Mo7o
BRANDNER, Matthias: Ko58
BRANDT, Eva: B23o
BRANDT, Heinz: Fo93
BRANDT, Luise von: R1o5
BRANDTNER, Heinz: B153
BRASTER, Mike B.: Do55
BRATT, Berte: So13
BRAUN, Carsten: Ao41
BRAUN, Frank F.: B196
BRAUN, Helga: Do84
BRAUN, Käthe: Ho5o
BRAUN, Lothar: Bo38
BRAUN, M. G.; Ko99; Too9
BRECHT, Arnold: Mo99
BREDA, Ans van: To22
BREGENZ, Curd: Bo82
BREIT, Frank: Ro68
BREMER, Maxim: Mo32
BRENCKEN, Julia von: Co21

BRENDT, Hal: M125
BRENNAN, Michael: Do18
BRENNECKE, Hans: B146
BRENNGLAS, Adolf: Go37
BRENT, Guy: K112
BRETONE, Gabriel: S218
BRETT, Toddy: H142; K15o; Ro52
BREUER, Jörg: B212
BREVIS, Carl August: K2o4
BRIESTER, Jeff: Do55; Mo27
BRIGGS, Jonny: Too4
BRIK, Hans Theodor: B214
BRIKISTO, P.: Zo15
BRISSON, Ferdinand: Lo11
BRITZEN, Angela von: Eo54
BRIX, Bert: To34
BROCK, Peter: B221; So14; So76
BROCKHOFF, Stefan: Co31; Po42; S156
BROCKMANN, H. M.: Mo62
BROHM, Chris: B223
BRONX, Sir: S21o
BROOK, Percy: M112
BROOKS, Barney: K1oo
BROS, Ward: K185
BROWN, Francis: B235
BROWN, Harry: Po13
BROWN, Hogarth: S261
BROWN, Matt: Do18
BROWN, Terence: Do82
BROWN, W.: Po12; S1o7
BROWN, William: Ro55
BROWN, Winston: S1o7
BROWNE, K. W.: Ro44
BROWNMAN, John U.: Lo95
BRUCKNER, Berta: Poo9
BRUCKNER, Ferdinand: Too2
BRUCKNER, Matthias: S12o
BRUDER FATALIS: Co11
BRÜCKNER, Der: K123
BRÜCKNER, Enne: H173
BRÜLL, August: S114
BRUGG, Elmar: Eo41
BRUGGER, Johanna: Go73
BRUGGER, Karla: Do45
BRUGGER, Sandra: S235
BRUN, Vincent: Fo51

243

BRUNS, Hanke: Boo6
BRUSTO, Max: B237
BUCHA, Karin: Bo27
BUCHEN, Alix von: Lo67
BUCHENLÄNDER, Hans: S238
BUCHNER, Kurt Oskar: So69
BUCKET, G. F.: Uoo6
BUCOVINEANU, Ion: S238
BÜHNAU, Ludwig: S112
BÜLOW, Joachim von: B242
BÜMPERLI, Lux: B238
BÜRGER, Berthold: Koo5
BÜRKLE, Veit: B126
BUNDLER, Hans: Ao56
BURCETTE, James R.: Lo98
BURCHARDT, Christa: B1o1
BURG, Carl: Coo8
BURG, Christel: Doo5
BURG, E. M.: B129
BURGER, Frank: Ko13
BURGER, Fred: Ko13
BURGER, Hal: Ko13
BURGER, Henry: Ko13
BURGER, Lisbeth: S262
BURGER, Marianne: K174
BURGER, Mike: Eo3o
BURGER, Ralph: Ko13
BURGER, Red: Ko13
BURGER, Thomas: L1o3
BURGHARDT, Friedr.: K2o1
BURKHARD, Hari: H117
BURMEISTER, Gerty-Charlotte: B256
BURMESTER, Dirks: Ko92
BURNETT, Peter: Boo8; Do79; S21o
BURNS, Mark: Ioo3
BURNS, William: B222
BURTE, Hermann: S272
BURTON, George W.: Mo29
BURTON, Marnie: Bo13
BUSCH, Axel: Voo6
BUSCH, Barbara: Po84
BUSCH, H. P.: Ko4o
BUSCH, Irene: Ho13
BUSCH, Monika: B258
BUSCHKLEPPER, Wilhelm: Coo5
BYOLA, Ugo da: B168

CAELESTES, Junior: Oo24
CAIN, John: Ko13
CAINE, Jeff: Ro82
CAINE, Staff: Po16
CALCUM, Carl: Lo85
CALEF, Simon: S164
CALETTE, Francoise: Ko21
CALHOUN, Alexander: Mo54
CALLAGHAN, Mike: Ho75
CALLAHAN, Frank: Do82
CAMBEL, Artj: H149
CAMERON, John: Ao44; B247; Fo87;
    Fo88; Go13; Ho57; Ho75; Ho98;
    Ko99; Moo9; Ro41; Ro78; So12;
    S118; S192; Too9; Wo35; Wo82
CAMERON, Robert: Mo88
CAMERON, Waco: Ko33
CAMM, W. S.: S199
CAMPBELL, Francis S.: K187
CANDENBACH, Horst: H100
CANE, Hurry: Ro44
CANE, Terry: Ro29
CANFIELD, Rod: S16o
CANN, Al: Ko18
CANN, Peter: Ko18
CANNON, Waco: Ko33
CARDAUNS, Helma: Voo5
CARDOS, Alice: Ko46
CARDWELL, Ray: Fo21; S261
CARELL, Edith: B142
CARELL, Georgia: Lo75
CARELL, Paul: So71
CARIUS, Anne: Fo85
CARL, C.: Coo8
CARLSBOURGH, Oktavian: Eo32
CARMA, Clarissa: Lo31
CARNABY, Sara: W121
CARNEY, Jim: H158
CAROL, Ly: Wo99
CAROLYI, Stephan: Ro39
CAROON, Maik: Noo3
CARPEN, Robert: K148
CARR, Alexander: Ko91
CARR, Peter: Ro35
CARRÉS, C.: Coo8
CARRIGAN, John D.: Lo68

DARK, Jason: Ao44; Eo3o; Ro41; Too9; W121
DARLTON, Clark: Eo68
DARRY, Harry: Po22
DAUB, Hans: H161
DAUMAS, Maria Renée: Mo38
DAUTHAGE, Heinrich: Ao54
DAVENPORT, Neal: Lo98
DAVIES, Thomas B: K1oo
DAWSON, Francine: H227
DAY, Anne: Lo91
DAY, Derrick: K117
DAY-HELVEG, Anne: Lo91
DAYTON, Perry: Ko13
DEAL, Sefton: Ko13
DECK, Bruno: Do11
DECKER, Ralph: Ko13
DEEN, Donald: Bo66
DEICH, Friedrich: Wo33
DELACOUR, Jean-Baptiste: K2o1
DELACOUR, Manfred J.: K2o1
DELAVILLE, Heinrich: Vo11
DELFT, Walter: Goo9
DELGADO, Manuel S.: Ho26
DELGADO, Ryder: Eo3o; H19o
DELHEID, Brigitte: Eo72
DELION, Elisabeth Charlotte: Ao43
DELLAROSA, Ludwig: Go39
DELMONT, Joseph: Po32
DELSON, Harry: Ko13
DÉMON, Roy: Po77
DENITA, H.: To31
DENVER, Jeff: S118
DENVER, John: Ro41
DENVER, Mark: Ao44
DEREK, Logan: Ao41; Vo11
DERFLA, W.: Wo38
DERRINGER, Pete: Do79
DÉRY, Ilona: Ro79
DESKAU, Dagmar: So37
DESMOND, Carol: Po84
DETTEN, Leonore von: Po37
DETTMER, Hans: Poo2
DEUSE, Else: H219
DEUSEL, P. M.: B1oo
DEVIL, Ron: K193

DeWITT, Denise: So98
DEXTER, Cliff: Ko13
DEXTER, Don: Ko27
DHAN, Dorothee: M1oo
DICK, Peter: Wo64
DICKSON, Dick: S124
DIEKEN, Manfred von: Ko7o
DIERY, Herb: Ko13
DIESCHEN, R. A.: M13o
DIESSEL, Hildegard: Ho36
DIETMER, Hans: Co1o
DIETRICH, H. P.: B1o3
DIETRICH, Heinz: Ho64
DIETRICH, Johann Gottlieb: B197
DIEZ, Doris: B2o2
DIGGER, Rex: Wo89
DIKSEN, Bernd: Do19
DILL, Lisbet: Do76
DITTMAR, Gabriele: Koo3
DÖBLING, Maximilian: Fo11
DÖRNER, Peter: Do79
DOERNER, Stefan: Go99
DOHL, Frank: K179
DOHL, Stefan: So92
DOHRENBURG, Thyra: Joo6
DOLAN, Don: Ko27
DOLLAR, Jim: Soo4
DOLLINGER, Margaret: Eo71
DOMCIK, Lukas: Mo82
DOMIN, Michael: Co3o
DOMINGO, Garry: S118
DOMMA, Ottokar: Ho18
DONALD, Frank: Bo14
DONATUS, Georg: Ko76
DONG, Leonie: Do6o
DONNER, Mike: Ko13
DONOVAN, Chad: Do18
DONOVAN, Jack: Do18
DONRATH, Michael: H2o6
DOORN, Jens: Mo92
DOR, Milo: Do66
DORN, Alec B.: Ko13
DORN, Georg: H119
DORN, Gertrud: F1o5
DORN, I.: Ko13
DORN, Lisa: 226

DORNBERG, J. C.: Go93
DORNBERG, Michaela: Po84
DORPAT, Christel: Po83
DORPAT, Nikolai: S162
DOUGLAS, Frank: Ko13
DOUGLAS, Glenn: Fo87; Wo21
DOVSKI, Lee van: Lo48
DOYAN, Ralph: Go28
DRAKE, Glenn: H158
DRAKE, Harry: K146
DRAKE, John: B177; Go87; Ho56; Mo88
DRAXNER, Will: Poo5
DREYER, Harry: Poo5
DRILLING, Richard W.: Do55
DRIVING, Mac: Do55
DRIXNER, Will: Poo5
DROSTE, Lotte: B233
DROZZA, Peter: Oo19
DUBOIS, Paul: Ho25
DÜHRKOPP, Herbert: Ro33
DUEREN, Hanna: Eo46
DÜROW, Joachim von: Mo4o
DUFF, Howard: Bo25; Go87
DUKA, Peter H129
DUKE, Hobby: K117
DUNCAN, Arl: B252
DUNCAN, John: K1o1
DUNCAN, Robert: Ho6o
DUNHILL, Joe: Roo9
DURIAN, Sibylle: Bo48
DURIAN, Wolf: Bo46
DUST, Lionel: Ko13
DUVART, René: B182
DUX, Dennis: B211
DWEN, Karl: Eo71
DWYNN, J. C.: Do82
DYCK, Norman: Do32

EBENSTEIN, Erich: H215
EBERHARDT, Lotte: B233
ECKART, Peter: Eoo4
ECKBRECHT, Andreas: Ko35
ECKER, Ernst L.: Qoo1
EDSCHMID, Kasimir: So58
EDWARDS, Bob: So21
EELA, H. P.: Fo76

EGESTORFF, Georg: Oo15
EGUISHEIM, René: Loo8
EHMCKE, Susanne: B136
EHRENFELS-MEIRINGEN, Erich von:
    Jo24
EIBEN, Robert W.: Eo33
EICH, Sebastian: Ko13
EICHEN, Anja von: S157
EICHEN, M. v. der: Eo75
EICHENBERG, Armin von: Eo33; E68
EICHENHOF, Martina: Eo2o
EICHENHORST, Gustav: Eo23
EICHNER, Walter: Ho83
EICHTHAL, Rudolf: Po25
EICKHOFF, Hanna: S231
EIGK, Claus: Bo26
EIK, Jan: Eo24
EILER, Hermann: Ho83
EIS, Egon: Eo34
EISENHUTH, P.: H22o
EISENTHALER, Hans: S238
EISNER, Stefan: Fo25
ELBERGER, Bernd: H174
ELFENAU, W.: Po64
ELGERS, Paul: So74
ELIN, Fred K.: Ko73
ELJENS, Olaf: Jo11
ELLEN, Ellen: Lo33
ELLERHORST, Petra: Ro47
ELLERT, Gerhart: So79
ELLIOT, Brian: A44; B149; Fo87;
    Ho26; Ho59; Ho98; H214; H229;
    Ko99; K112; So12; S164; Wo63;
    W121
ELLIOT, Jim: Bo32
ELLMER, Arndt: Ko4o
ELLMER, Marcus: Mo63
ELM, Jonathan: So1o
ELSON, Linde: Lo6o
ELTEN, Eva: Ro64
ELTEN, Thomas: Fo97
EMRICH, Louis: Eo49
EMSCHER, Horst: B183
ENDERS, Alfred Michael Ho76
ENGEL, Erika: W111
EPP, Jovita: Eo6o

248

FRANKLIN, Lorena: Wo2o
FRANZ, Gunter: Po63
FRANZ, Wilhelm: Do74
FREDERIC, Al: Fo87
FREDERICK, Burt: Fo88
FREDERICK, Gerald: Bo25
FREDMAN, Igon: Po41
FREE, Robert H. F.: Fo19
FREED, Cecil V.: Ro77
FREEMAN, Rhonda: Fo89
FREIBURGER, Walter: Jo13
FREIDONN, Frederik: Zo19
FREIDONN, Fritz: Zo19
FREIER, Gustav: Loo4
FREKSA, Friedrich: Fo86; So75
FRENES, Alix du: Fo7o
FREY, H. J.: Fo77
FREY, Jennifer: S118
FRICK, Hilde: To18
FRIEBEL, G.: Fo8o
FRIEBELUNG, Margarete: K198
FRIEDEBURG, Oswald: Fo69
FRIEDELL, Egon: Fo83
FRIEDENHAUS, Friedrich: Ko76
FRIEDLÄNDER, Vera: So72
FRIEDLAND, Carl: Go94
FRIEDMANN, Will: Po76
FRIEDRICH, Ernst: Po37
FRIEDRICH, Hanna: Flo1
FRIEDRICH, Horst: Lo68
FRIEDRICH, Oskar H.: H193
FRIEDRICH, Paul: H222
FRIEDRICHS, Hans Frank: Lo27
FRIES, Erika: B1o8
FRIES, Gisela de: Fo8o
FRISCO, Tom: Do42; K185; Roo9; Wo9o
FRITSCH, Ina: Po38
FRITZE, Ottokar: No11
FRITZE, Theo: Vo18
FRÖHLICH, C. F.: S1o2
FRÖHLICH, Sigismund: K117
FROHLAND, Peter: Eoo9
FROHMUT, A.: Lo79
FROMMHERZ, Florian: Ao16
FRYBERG, John: Fo67
FRYDAG, Will: Fo78

FUGSHAIM, Melchior Sternfels von:
Go76
FUSSENEGGER, Gertrud: Do43
FUTURUS: No21

GABERG, Greta: K2o1
GAFRAN, Kurt: Goo2
GALA, Rico: Aoo5
GALAHAD, Sir: Do37
GALEN, Philipp: Loo9
GALL, Robert: Ro98
GALUSSER, Roland: K157
GAME, Nora: To41
GAMER, N. E.: Wo92
GAMPER, Esther: Wo15
GAMSLER, Peter: Wo53
GANTER, Christoph Erik: Eo44
GANZERT, Albert: Ho33
GARBY, Ralph: B211
GARNER, Hans: Doo2
GARNER, R. F.: Do79
GARRETT, Bill: Boo8
GARRETT, J. A.: Go66
GARRETT, Steve M.: Ho57
GARRIK, Phil M.: Hoo9
GARVEN, Viola: Fo96
GASPARRI, Christiane: B118
GAST, Lise: Ro54
GASTPAR, Michael: No15
GATOW, Gunter: No12
GAUTHIER, Georges: Mo29
G.E.: Eo31
GEBHARDT, Hans: Go61
GEEDE, Ruth: Vo21
GEERTH, Gerd: Wo29
GEIGER-GOG, Anni: H172
GEIGER-HOF, Anni: H172
GEIST, Hans: Lo45
GELLER, Red: Ro41
GENIUS, Rolf: To3o
GENNER, Julia: Po26
GENSER, Frank: B196
GENTER, Harry: S211
GEORG, Hans: Ro34
GEORG, Justus: Co23
GEORG, Reinhold: Mo99

GEORGE, Herbert: G1o5
GEORGE, William: Fo65
GEORGI, Georg: Go79
GERATEWOHL, Hans: Zo21
GERHARD, Dierk: Po79
GERHARD, Hans: Wo5o
GERMAN, Günther: Mo42
GERNOT, Jürgen: Ko81
GERTER, Elisabeth: Aoo8
GERTLER, Ditta: Aoo7
GEVÉ, Gaston: Vo16
GEYER, Fritz: To29
GEYSE, Wolfgang: So43
GHOST, Henry : Ao41; Mo74
GIBSON, Ben: Go87
GIERER, Berchtold: So33
GILBERT, Henry: W1o1
GIFT, Theo: Ho74
GILBERT, Leo: S178
GILLANE, Mickey: Do55
GILLON, John: Wo82
GILMOOR, John: K185
GISELA, M.: Mo33
GLAGLA: Go63
GLAS, Simon: S154
GLASER, Frank: Go35
GLEIT, Maria: H187
GLÖSA, Otto: M115
GLOGAU, Heinz: Ho41
GLUECK, Peter: Ao56
GNADE, Heinz: Mo44
GOBBO, Lanzelot: Bo79
GOBINAL, Chester: Do55
GOEL, Lothar van: Go45
GOHDE, Hermann: Ho8o
GOLD, Irma: S176
GOLD, King: H163
GOLD, Patricia: S231
GOLDING, Peter: S126
GOLDMAR, Jon von: Ro85
GOLDSTROEM, Ingrid: S176
GOLLWITZER, Josef: Ho4o
GONTARD, Red: So93
GOOTE, Thor: Bo8o
GORDON, Glenn: Hoo5
GORDON, Hans: Ro34

GORDON, Rex: K112
GORMAN, J. A.: Go66
GORMANDER, Doktor: Oo11
GORRISH, Walter: Ko1o
GOTIKE, Maria: Mo47
GOTTANKA, Hans: Eo1o
GOTTHELF, Jeremias: B128
GRABE, Reinhold Th.: B2o9
GRABON, Else: S28o
GRÄFFSHAGEN, Stephan: M111
GRAF, J.: Eo21
GRAF, Karin: Ko71; To36
GRAHAM, William: Ao56
GRAMS, Jay: Go66
GRANT, Charlie: Ro44
GRANT, John: Go87
GRANT, Susan: Eo73
GRANT, Tobias: To39
GRASSE, Jürgen: Go66
GRAU, Ernst: G1o7
GRAU, Franz: G1o7
GRAU, Wernher von: So98
GRAVELL, Julie: Go75
GRAVES, Vernon: S192
GRAY, Barbara: So86
GRAY, Bill: Ioo4
GRAY, George P.: Vo15; Vo16
GRAY, Jim: Ro44
GRAY, John: K185
GREBNITZ, Udo: S229
GREEDERS, Miriam: Bo55
GREEN, Don: K185
GREENE, Miles: Roo2
GREENOW, Helm: Mo79
GREGOR, Hans: Zo22
GREGOR, Manfred: Do65
GREGOR, Nina: F1o2
GREGORIUS, Gregor A.: Go82
GREIF, Rüdiger: K2oo
GREIFENSHOLM, Erich Stainfels von:
    Go76
GREINER, Susy: Bo88
GRENZER, Harry: Vo26
GREVEN, Juliane: Go75
GREY, Bill: Too4
GREY, Jim: Ro44

GREY, John: K185
GREY, Walt: Go69
GREY, William: Ro47
GRIMM, Inge Maria: Ho66
GRIMM, Vera von: Eo12
GRINDEL, Harry: So54
GRÖPER, Reinhard: M1o1
GROHUS, Peter: H146
GROLLER, Balduin: Go55
GROMA, Peter: Go8o
GROMBACHER, Grete: S197
GRONAU, Helmut: Mo79
GROSMONT, Weston: Go81
GROSS, Rolf H.: Go86
GROSSE, Andreas: Fo31
GROSSE, Marquis von: Go84
GROTH, Franz von der: Koo9
GROTH, Sylvia: So92
GROVE, Frederick Philip: Go74
GRUBBE, Peter: Vo19
GRUBER, Ludwig: Ao42
GRÜN, Anastasius: Ao59
GRUNER-JUNGBLUT, Alice: Jo28
GUBANE, Berny: Bo96
GUBEN, Berndt: Bo96
GUENTER, C. H.: G1o1
GÜNTHER, Leo: Zoo5
GÜTERSLOH, Albert Paris: Ko55
GUETTÉ, Edith: Go89
GULDEN, Barbara: Goo1
GUMPERT, Joachim S.: Bo47
GUNY, Hans: Go95
GURDAN, Emil: B125
GUT, Silvia: Do2o
GYMIR, Gerda: Mo95
GYNCH, Henry: G1o8

HAARDT, Karin: Wo71
HABE, Hans: Bo66
HABERT, L. L.: Hoo6
HACH, Arno: H1o4
HACKEBEIL, Margarete: Lo3o
HAEL, Kurt: Lo64
HAÉM, A.: Mo46
HÄUPTNER, Lily: Wo95
HAFNER, Dr. Fabian: So94

HAFNER, Gerd: So94
HAGEL, Jan: Oo18
HAGEN, Christopher S.: S217
HAGEN, Evelyn: Oo14
HAGEN, Fritz: Ro35
HAGEN, Graf Leo von: K146
HAGEN, Helga von: Wo43
HAGEN, Leni: Ko16
HAGEN, Rolf: K167
HAGEN, Sabine: Doo5
HAGENAU, Gerda: Lo2o
HAIN, Egon: Ho32
HAIN, Paul To35
HAKA, Rolf: K199
HALE, Ray: B211
HALENZA, Ada: K1o4
HALL, Ernst: Ho65
HALL, Helle: S26o
HALL, Jeremy: Ko4o
HALL, Sissy: B193
HALLARD, Ruth: To12
HALLER, E.: Ao56
HALLER, Ernst: Ro15
HALLER, Frank: Eo68
HALLER, Guido: S145
HALLER, M.: Do17
HALLER, Michael: Bo19
HALLOW, Gus: H2o5
HAMBERG, Stephan: K185
HAMBERG, Steve: K185
HAMER, Isabel: Lo36
HAMILTON, W. W.: H18o
HAMMER, Fred: Po52
HAMMER, Tobby: Ko13
HAMMON, Jeff: Go66
HAMMOND, Gil: Eo65
HAMPTON, Patrick: Voo6
HANINGWAY, Ralph: Ho25
HANKA, Erich: Uoo9
HANSEN, K. U.: B249; Ko4o
HANSEN, Michaela: Ko78
HANSEN, Peter: Po12
HANSEN, Stephan: Go15
HARALD, Leo: Go28
HARB, Aloy: Ho46
HARBORD, Davis J.: K133

HARD, Hedwig: Ro34
HARD, Rudolf: Doo8
HARDECK, Marianne: Eoo6
HARDEN, Fred: Solo
HARDEN, Harald: Go52
HARDENBERG, Andrea: So41
HARDER, A.: W1o8
HARDER, Ben: Po33
HARDING, Michael: Ho49
HARDING, Steve C.: Noo2
HARDING, Tex: Po13
HARDON, Ronny: B211
HARDT, Hans: Ao18
HARDT, Helmut: Ro34
HARDY, B.: So28
HARGROVE, Marion: S118
HARMS, Christel: Ho49
HARMSEN, C. W.: Ho49
HARPER, Caroline: K135
HARPER, Tom: Ro52
HARRINGTON, Rick: K172
HARRIS, Ringo: Oo17
HARRIS, Rod: S21o
HARRIS, Ronald M.: Ho26
HARRIS, Will: Ho59
HARRISON, J. L.: B2o1
HARRISON, Peter: S287
HART, Derek: Ko74
HART, H. W.: Go12
HART, Hanns: M125
HART, Heinz Bruno: Do11
HART, Henry: Ho56
HART, Raymond: Do18
HARTENFELS, Simon Lenfrisch von:
   Go76
HARTMANN, Claus: Lo98
HARTMANN, Lukas: Lo28
HARTWIG, W. H.: B134
HARWELL, Susan: Ho99
HASDUR, G.: Go33
HASDUR, Merlyn G.: Go33
HASELBUSCH, Günther: G1o2
HASTUR, G.: Go33
HATA, Harald: Too3
HATHAWAY, Andrew: W121
HATJE, Jan: Doo1

HAUFF, Ursula: S235
HAUSEN, Peter: H162
HAUSER, Frank: Wo81
HAUSER, Kaspar: To51
HAUSER, Margrit: H151
HAUSERHOFF, Annie: Ko37
HAWKE, Harriet: K143
HAY, Stephen: B184
HAYDE, Bertl: H135
HAYES, Rex: Ro48
HAYN, Mark: Zoo2
HAYN, Ralph: Ho25
HAYWARD, Ken: Ko22
HEART, Hardy: Ho28
HEARTING, Ernie: H127
HECHT, Hasso: Po48
HEGEDO, Herbert G.: Do61
HEIBE, Carolus: Bo96
HEID, Gwinny: Ho86
HEIDMARK, Frank: Zoo7
HEIKHENHOFF, Peer: H177
HEIM, Heide: M116
HEIMBORN, Carl: R1o7
HEIMBURG, Wilhelmine: Bo63
HEIN, Günther: Go99
HEINDORF, Heiner: Ro1o
HEINRICH, Carl Johann: B232
HEINRICH, Valentin: L111
HEINZ, K.: Bo83
HEINZ, Karl: Po58
HEITER, Ernst: Lo68
HEITER, Jeremias: Lo12
HEIZMANN, Gertrud: Ho89
HELBACH, Werner: Wo63
HELD, Franz: H141
HELD, Karl: Koo1
HELD, Kurt: Ko63
HELDERS, Major: Ko9o
HELDT, Andreas: Po23
HELDT, Jörg: Ko13
HELFENSTEIN, Lothar: Ho83
HELION, Jo Hanns: Do73
HELIOS, Alexander: H114
HELL, Hellan: Ho45
HELL, Lisa: K159
HELLBERG, Wolfgang: Bo19

254

HELLBORN, Klaus: Ro51
HELLDUNKEL, Jeremias: S128
HELLER, Frank: S163
HELLMAN, Pete: Ho75
HELLMER, Klaus: Ro51
HELLRING, Eva: Do75
HELMI, Peter: H129
HENDERS, Ralph: S118
HENDERSON, Chester: Lo56
HENDRIK, Abbo: Aoo2
HENNING, Helga: To21
HENRICI, Karl-Herbert: Ho63
HENRICKS, Paul: H2o2
HENRIETTE, Christiane: K161
HENRY, Charles P.: Bo83
HENRY, Fred: Ho56; Too9
HERBERGER, Erika: H1o5
HERBST, Daniel: Ao22; Ho26
HERBST, Gunther: S192
HERBSTENBURGER, Toni: B179
HERDAN-ZUCKMAYER, Alice: Zo29
HERDEGEN, Hans: Do53
HERFURTH, Alice: Ro35
HERGESELL, Philipp: Po28
HERKEN, Clara: Ro63
HERMANN, Georg: B172
HERMANN, Paul: S12o
HERMES, Rolf: Lo53; M116
HERMLIN, Stephan: Lo21
HERRMANN, Eugen: Do13
HERRMANN, Karl: Bo91
HERZOG, Gabriele: Go25
HERZOG, Paulus: M1o5
HESS, Katharina: M12o
HESS, Maja: Go23
HESS, Walter: To24
HESTER, Helen: K2o1
HETMANN, Frederik: Ko6o
HEUER, William: H136
HEUSCHEN, Monika: Eo72
HEVESI, Ludwig: H153
HEYDECKER, Jupp: Bo79
HEYDORN, Ellen: H171; S157
HEYGK, Ralph: Ho91
HEYM, Stefan: Fo52
HICHLER, Leopold: Eo17

HIEK, Pete: Ko21
HIGHMAN, Frank: H145
HILARIUS, Anselmus: S168
HILBERSDORF, Karl: B159
HILDEBRANDT, Kriemhild: Moo6
HILGENDORFF, Gertrud von: Fo2o
HILGENDORFF, Hermann: M112
HILL, Herbert: S169
HILLARD, Gustav: S23o
HILLENBURG, Martin: Ko13
HILLER, William: H148
HILLIG, Werner: B163
HILLING, O. W.: Ko22
HILLSON, Bert: Ko13
HILT, George: Bo75
HILTEN, Peter: Noo7
HILTON, Jack: Ho56
HILTON, Sibylle: G1o3
HIRSCHFELT, Samuel Greifensohn von:
     Go76
HIRSCHLER, Ivo: H155
HOBERG, Marielis: Ro74
HOCHGLEND, Rudolf: Eoo8
HOCHGRÜNDLER, Charlotte: H183
HOCHRIED, Ina von: Eo2o
HÖFER, Petra: Do42
HÖFFER, W.: W1o8
HÖLLRIEGEL, Arnold: Bo92
HÖRMANN, Markus: Bo24
HOFBAUER, Friedl: Ko31
HOFBERG, Norbert: Ko13
HOFER, Urli: S1o6
HOFF, Annegret: G1o4
HOFF, Harry: Ho87
HOFFMANN, Ernst Theodor Amadeus:
     H175
HOFFMANN, Lieselotte: Eo43
HOFFMANN, Ruth: So4o
HOFFMANN-ALEITH, Eva: H1o2
HOGAN, D. C.: H189
HOHENBERG, Liane von: B138
HOHENFELS, Guenther von: Ho44
HOHENOFEN, M. B.: B129
HOHENTHAL, Karl: Ko33
HOLBACH, Jupp: Eo52
HOLDEN, Adele: Co12

HOLGER, Karin: S231
HOLK, Freder van: M116
HOLK, Jan: M116
HOLL, Dr. Stefan: Fo11
HOLLAND, Katrin: Lo82
HOLLANDER-LOSSOW, Else von: Lo9o
HOLLBURG, Martin: B252; Eo3o; H19o;
   Lo22
HOLLE, Christian: B216
HOLLING, H. P.: Fo94
HOLLISTER, H. C.: Noo2
HOLLM, Harald: So76
HOLLRIEDE, Hagdis: B187
HOLLSTEIN, Johannes: G1o4
HOLM, Cornelia: K137
HOLM, Fred: Mo87
HOLM, Gustav: Wo4o
HOLM, Hans: Ho42
HOLM, Peter: H196
HOLM, Pitt: S16o
HOLM, Ralf: Go87
HOLM, Stine: M124
HOLMS, Holger: Eo39
HOLMSEN, Bjarne P.: H197; So47
HOLST, Liane: Do75
HOLSTEIN, Karl von: G1oo
HOLT, Elisabeth: Go32
HOLT, Uta von: H11o
HOLTEN, Fritz: Ko15
HOLTEN, Lore von: Eo2o
HOLTZ, Hannelore: K171
HOLZMAYR, Scholastika: Lo18
HOLZNER, Sebastian: H229; Ro25
HOMUNKULUS: Wo4o
HOOKER, P. T.: K145
HOOP, Cecil J.: Ro27
HOOVER, Cail: Lo15
HOPKINS, W.: Wo88
HORLA, Alexander: Fo48
HORN, Ludwig J.: Bo15
HORN, Otto: Boo5
HORN, W. O. v.: Ooo8
HORNSCHU, Paul Karl: Ko54
HORNSTEIN, Erika von: Bo39
HOROWITZ, Helmut: Zo28
HORSLEY, Bert: S2oo

HORST, Sophie von der: W1o8
HORSTEN, Udo: Ko13
HORSTER, Hans Ulrich: Ro51
HORSTL, Gustav: S269
HORSTMANN, K.: W1o8
HOUSTON, Ben: Too4
HOWARD, H. P.: Do34; Ho26; Po78
HOYAU, Georges Ho9o
HOYER, Niels: Ho53
HUBECK, Jorg: Po8o
HUBER, Gustl: S157
HUBY, Felix: H23o
HÜGER, A. R.: Ro17
HÜLSEN, Adrian: Ro51
HÜNEFELD, Hanne: Fo71
HÜTTEN, Hans: Lo38
HUFNAGEL, Max: S2o1
HUGENFELS, Israel Fromschmit von:
   Go76
HUGH, R.: H228
HUGO, Richard:
HULBECK, Charles R.: H224
HULL, Heinz: Uoo5
HUMILIS, Hilar: No25
HUNT, Frederick: K192
HUNTER, Clay: Wo17
HUNTER, Tom: B211
HURRICANE, Ringo: Ho98; To16
HYDE, Chris: Wo6o
HYNITZSCH, Luise: Zo27

IBACH, Lutz W.: R1o4
IBIUS, Robert: Ho52
IGGENSEN, Igor: Ro11
IGNOTUS: B132
ILGERD, N. M.: Do46
ILLING, Claire: Ho86
ILLIW-UEHRE, M. A. v.: H136
ILMENAU, Carl v: Coo8
IMM, Günther: B124
INFÜHR, Heinrich: Loo3
INGENHAG, Werner: S11o
INGRISCH, Lotte: Eo26
INNOCENZ: S128
INNSBRUCKER, Michael: Oo1o
INTRUS: K114

IPSE, Henrik: Ho54
ISBEL, Ursula: Do68
ISELER, Jo: So25
ISENBECK, Elsbeth: K1o9
ISLAND, Bert F.: B211; G1o1; M116; S1o7
ISOLANI, Gertrud: S241

JACK, Flying: S16o
JACK, Garry: B188
JACKSON, Dave: H2o1
JACKSON, Garry: Too4
JACKSON, Jim: Boo8
JACKSON, Kelter A.: Lo69
JACKY, Helene: Lo17
JACOBS, Wally: Woo2
JÄGER, Martin: Wo53
JAGO, Thomas: Eo65
JAKOB, Andrea: Do57
JAM, D.: Mo33
JANAKIEFF, Dimiter: Io1o
JANKA, Judith: Po84
JANNAUSCH, Doris: So62
JANOSCH: Eoo5
JANSSEN, Jens: B2o7
JANUS: Fo16
JANUS, Jonas: S236
JANUS, Marco: Zoo1
JAROMIN, Rolf: Go48
JEAN, Eve: B156
JEFFERS, Axel: Wo52; Wo53
JEMAND: S283
JENKINS, C. B.: Boo8
JENSEN, Jens: B2o7
JEROME, Fred G.: Do4o
JERSEY, John: Bo96; Wo53
JESSEN, Alf: B166
JIRA, Johann: Go15
JLLING, Hella: K152
JOACHIM, George: Wo94
JOHANN, A. E.: W116
JOHANNES, Martin Otto: Roo8
JOHANSEN, Hanna: M131
JOHNS, Felix: Bo37
JOHNSON, John: Fo33
JOHST, J. J. van: Bo96

JOLAS, Pierre: Ko13
JONAS, Claudia: Eo35
JONES, Everett: Do62; Fo37; Go41; No13; Ro41; S21o; To16; Wo17; Wo61
JONIUS, Susanna: Ko71
JONTZA, Georg: K144
JORAT, Bert: H159
JORDAN, Lee Roy: Eo13
JOSSA, Hans-Martin: Po44
JOST, Hermann: Mo91
JOSTEN, Jutta von: Soo8
JOTKATE, P.: Ko94
JOYSTON, Ralf: Ao34
JÜRGEN, Anna: M124
JÜRGENSEN, Helke: Po15
JUGE, J. P.: Ro57
JUNCKER, E.: So77
JUNG, P. R.: Ko82
JUNGBLUTH, Ulrich Herbert: M121
JUNGHERR, Victor Georg: Jo29
JUNG-STILLING, Johann Heinrich: Jo25
JUSTINUS, Otto: Co19

KADES, Hans: Wo62
KÄBLER, Kapitän William: Koo1
KAHLENBERG, Hans von: Ko53
KAI, Johannes: Wo79
KAI, Kim: Bo48
KAILAND, Alexander: Ko41
KAISER, Elisabeth M.: B185
KALLMER, Ullrich: Do42
KAMMER, Katharina: Voo2
KAMP, Friedrich: B178
KAMP, Steffen: Do33
KARELIN, Victor: Mo7o
KAREN, Anne: Too9
KARKA, B. W.: K147
KARLOWNA, E. Lo73
KARLWEIS, Marta: Wo19
KARR, Hanns-Peter: Joo5
KARRAS, Jella: So99
KARZ, Eva: So26
KARZ, Peter: So26
KASCHNITZ, Marie-Luise: Ko29
KASCHOWSKI, Franz: Lo44

KAST, Peter: Po67
KASTEIN, Dorit: Ko71
KASTELL, Katrin: Ko71; So41
KATER MURR: B12o
KATH, Lydia: Ko96
KAUFMANN, Detlev: Vo22
KAUFMANN, Franz: K2oo
KAUT, Ellis: Po66
KAY, Juliane: Bo33
KAYSER, Dinah: Fo84
KAZLAKOFF: Uoo3
KEBLA, Waltraud: Koo1
KEEN, Robert: Po58
KEENE, King: B155
KEGLER, Hans: Ro36
KEITH, Katrin: Bo53
KELASKER, Hivar: Ko91
KELLER, Birgit: Po21
KELLOG, Ernest P.: Go87
KELLOG, Jim: Ko99; S217
KELLOG, Robbie: Ko13
KELLOG, Robert: Ko13
KELLY, Barbara: Floo
KELLY, Jack: M112
KELLY, Ron: Go66
KELLY, Tom: S152
KEMMLER, Ursula: K1o8
KEMPE, Cornelius: B15o
KEMPP, Hannes: Ko22
KENDALL, John: Go41
KENNAN, Dan: Foo6
KENNEDY, Inspektor: Too9
KENNETH, Gordon: Bo14
KENNEY, Frank: Lo74
KENNICOTT, Mervyn Brian: Ho39
KENT, Roy: Ao44
KENT, Steffen: Fo18
KENWOOD, Neil: H179
KENZ, Karl Friedrich: Bo36
KEPLER, Utta: Ko47
KERBHOLZ, Wolf: Zo12
KERFIN, Gerhard: B112
KERN, Erich: Ko5o
KERN, Gregory: Ao22; Ho26; Po12;
  Po78; Wo35
KERNEGGER, Hannes: Ro21

KERSCHBAUMER, Marie-Thérèse: K2o5
KERSTEN, Nicola: Go75
KERSTEN, Roger: So27
KERSTIEN, Enid: W1o9
KESS, Rolf: Do38
KESSEL, Rolf van: Do55
KESSLER, Hansi: S125
KEVIN, Kelly: Wo82
KEYEN, Werner: M116
KIESLING, Angela von: Foo3
KIESSLING, Herbert: To1o
KIEWERT, Walter: S119
KILBURN, Miles: Ao44
KILIAN, Stephan: So96
KING, Henry: K113
KING, John B.: Bo96
KING, Perry: S118
KING, Renée: Noo6
KING, Sandra: B1o9
KINGSTON, Harry S.: B188
KINSALE, Fred: B149
KIRBY, John: Do18; Do79
KIRCHMAYR, Christa: Ro22
KIRCHNER, Martin: Woo8
KIRCHSTEIN, Dagmar von: Ao53; Ko99
KIRSTEN-HERBST, Ruth: H112
KLABUND: H1o8
KLEIN, Charles: Ko75
KLEIN-ROSSEL, A.: Mo8o
KLEIN-WOLKEN, Erika: Ko72
KLEYMANN, Konni: K168
KLEYNN, Peter von: To5o
KLINGER, Harry: Wo55
KLINGER, Walter: Vo26
KLINGG, Thomas: S273
KLUGE, Heidelore: Oo23
KNIESE, Julie: B158
KNIPPER, Heinz: Ko11
KNOBEL, Betty: Wo37
KNOBELSDORFF-BRENKENHOFF, Na-
  taly von: Eo76
KNOBLOCH, Hans: Ko93
KNOCK, Christopher: Fo18; H23o
KNURRHAHN, Karl: No28
KOCH, Dr. Rudolf: Wo2o
KÖLBL, C. H.: K118

KÖNIG, Sonja: S255
KOENIGSWALDT, Hans: Eo28
KOEPPEN, Bert: S2oo
KÖSSELIN, Torsten: M127
KÖSTER, Irmgard: W115
KOGGEN, Jan: K2o1
KOHL, Eva Maria: Bo76
KOHLHAAS, Michael: Fo54
KOJAK: Ao44; B247; Ho75; Ho98;
  Ko99; W121
KOLBENHOFF, Walter: H181
KOLBER, Thomas: Ko13
KOLBERG, Wolfgang: Fo11
KOLDEWEY, Martina: Lo61
KOLIN, Gunnar: Ko99
KOMMISSAR BURKLEY: W112
KONRAD, Herbert: H221
KONSALIK, Heinz G.: Go99
KONTER, Hein: Go99
KONZIONATOR, Alfons: S2o2
KOPERNIKULUS: Lo8o
KOPPEL, Uta: Lo32
KORB, Peter: B22o
KORDA, Hans: S251
KORFF, Ilka: B156
KORFF, Stefan: Zo25
KORFF, Werner Jürgen: Do78
KORN, Peter: Go48
KORNFELDER, J. D.: Do86
KORNTHEUR, Konrad: Foo5
KORT, Amely: Ko72
KORT, Walter: Vo25
KORTEN, Ines: Ko22
KOSMAS: Co11
KOTT, Robert: S247
KOTTA, Leo F.: Fo46
KOTTÉ, Margot: Bo77
KOTZDE, Wilhelm: K139
KOWEIT, Freddy: Wo53
KRAFFT, Eugenie: W119
KRAFFT, Heinz: Do11
KRAFT, Ruth: B26o
KRAMER, Professor: Noo4
KRANZ, Edith: R1o8
KRAPP, Annemarie: Mo28
KRAUSE, Knut: Eo31

KREUTZENBERG, Alwin: K177
KRIES, Gerda von: Po68
KRIESTEN, Hans: Roo3
KRINGEL, Ferdinand: So45
KRISTAN, Georg R.: Co25
KRITZ, Hugo M.: K166
KRÖGER, Alexander: Ro96
KROGMANN, Angelica: S138
KRONEN, Andrei: Hoo4
KRÜGER, Nils: S266
KRÜGER, Oven W.: Noo2
KRUSE, Iris: Ro97
KUBELKA, Margarete: K169
KUBY, Hanns: K181
KÜHN, August: Zo33
KÜHN, Otto: Ao47; Do64; Eo33; Ko79;
  Lo24; S2oo; To32
KÜHN, Volkmar: K2oo
KÜHNWALD, Gerd: Ho83
KUHN, Ursula: Joo7
KULL, Stasi: Ao55
KUPFERNAGEL, Tobias: Zo21
KURT, Robert: Ho15
KURTZ, Melchior: Koo5
KURZ, Hans: Ao22
–KY: B177
–KY & CO: B177; Ho94
KYLLBURG, Herbert; Po27

LAAR, Clemens: K11o
LACHNIT, Xaver: Lo62
LACOMBE, Marie: B23o
LADENBURG, Max: H143
LADIS, Mario: R11o
LAFEUILLE, Stefan: Hoo1
LAFIT, Gaston: K2o1
LAFITTE, Jean: Do18; Eo65; Fo37;
  S281; Wo17; Wo82
LAFORET, Jean de: B149
LAHR, Helene: B123
LAHR, Maximilian: Ro56
LAICUS, Philipp: Wo18
LAKOTTA, Consilia Maria: Loo6
LAMBERT, Frank: Ko13
LAMBERT, Tony: Ko13

LAMBRECHT, Käth: Wo53

LAMONT, Robert: Ao41; Ao44; B188; B192; Doo9; Do82; Fo87; Fo88; Go33; Ho26; Ho57; Ho59; Ho98; H19o; H214; Ko99; K182; Moo9; Mo31; Mo68; No16; Ro41; So12; So87; S192; Too9; Wo45; Wo61; Wo82

LANDER, Hanns: B255

LANDFINDER, Thomas: So31

LANDING, Jerry: Do55

LANDMANN, Michael: Noo3

LANDMANN, Robert: Aoo5

LANE, Lex: Go87; K15o

LANG, Elmy: Do44

LANGE, Erna: So95

LANGEN, Christian G.: H113

LANGENFELD, Johannes: K155

LANGENN, Vendla von: B231

LANGER, Boris: Bo84

LANGHARDT, Hetty: Do21

LANGNER, Ilse: S172

LANGRENUS, Manfred: Ho78

LANGSTER, Sam: H163

LANSKY, Irene: Ro95

LANZER, Elisabeth: Fo73

LAODES, Friedrich: Lo87

LA POINTE, Pierre: Oo18

LARAMY, Frank: Ko18

LAREDO, Kid: Ho57

LAREGH, Peter: To15

LA ROCCA, Ed: Lo56

LaROCHE, Rebecca: Moo9; Wo82

LARRING, Glenn: Do55

L'ARRONGE, Adolf: Aoo1

LARSEN, Fred: H216

LARSEN, Knut: K146

LARSEN, Tom: K2o1

LARSEN, Viola: Ho24

LARSSEN, Tim: F1o3

LASA, Rolf: S285

LASH, Larry: B155

LASS, E. G.: B2o7

LASSERRE, Sonja: Co13

LATIMER, Hondo: Ao44

LATOUR, Irene: S235

LATRÉAUMONT, Prinz Muhamel: Mo33

LAUBENSTEIN, Verena Ho38

LAUN, Friedrich: S128

LAUREEN, Patricia: So19

LAURENAT, Guido: S194

LAURIN, Friedrich: Eo64

LAUTERBACH, Hermann O.: Oo25

LAZAR, A.: Wo8o

LÉ, John: Po77

LEANDER, Catherine: K161

LEASOR, James: Boo8

LEBA, W. K.: Koo1

LEBKA, Wally: Koo1

LEBRECHT, Peter: To33

LEDNER, Ernst: Ro59

LEE, Conrad: Do51

LEE, Frank: Lo19

LEE, Mac: H143

LEE, Thomas: K167

LEFFLER, Erika: Lo84

LEHNE, Fr.: B261

LEHNERT, H. P.: Po45

LEHNHOFF, Joachim: S285

LEIBACH, Oskar: Ho46

LEITICH, Ann Tizia: K138

LE JOHN, Kevin: Ro41

LE LON, Terry: S157

LENA, Lena: Wo99

LEND, Pert: Lo62

LENNAR, Rolf: Po36

LENNERT, Nikolaus: Po51

LENNOX, Jocelyn L.: H12o

LENNOX, Peter: H192

LENOX, Peter: H192

LENS, Conny: H157

LENSEN, W.: Koo1

LENTZ, Roma: S122

LENZ, Beate: Ko17

LENZ, Max Werner: R1o9

LENZBURG, A. von: K162

LEON, Hal W.: Wo63

LEONHARDT, Thomas: Ko51

LERNET-HOLENIA, Alexander: H194

LEROY, H. C.: So66

LERSE, Heinrich: Wo46

LESTER, A. H.: Lo26

LEUCHTENBERG, Carl Johann: Mo48
LEUTZ, Ilse: B2o1
LEVER, Jay: Ho75
LEVIS: H188
LEWALD, Fanny: S214
LEYDEN, Kurt von: S258
LEYKAM, Christine: Ko34
LICHTENAU, Erik-Alfons: Lo63
LICHTENAU, Hella: S133
LIE, Romie: Lo52
LIENAU, Renate: Lo43
LIENHART, Hermann: Go28
LIEPELT, Karin: Aoo9
LIESENBERG, Leopold: H16o
LILL, Peter: Fo59
LIME, Harvey F.: Lo68
LINBERG, Irmela: Wo76
LINCKENS, Hendrik P.: Lo59
LIND, Hiltrud: Ao5o
LIND, Maria-Magdalene: Eo4o
LINDBERG, Carl: Bo38
LINDBERG, Michael: Ao45
LINDEMANN, Else: Jo23
LINDEN, Christa: Lo42
LINDEN, Ernst von: Mo33
LINDEN, Gert: S254
LINDEN, Hanne: F1o1
LINDEN, Ina: H11o
LINDENAU, Erik: Do59
LINDHORST, Harm: Boo6
LINDNER, Agathe: Wo54
LINDNER, Elisabeth: Lo62
LINDNER, Karl: Lo62
LINDRODER, Wolfgang: H182
LINDSAY, Mark: Ho26
LINDT, Sophia: Zo2o
LINGARD, J. M.: Lo46
LINKE POOT: Do5o
LINZ, Maria: Po84
LISENIUS, Michael: Lo57
LISSAR, Frank: Lo65
LISSOW, Ingrid: S286
LOCKHART, John: B114
LOCKHART, T. C.: S217
LOCKWOOD, Thomas: B192
LOCUSTA, Karl: S2o5

LÖBEL, Bruni: Ho22
LOEWEN, P. van der: Mo33
LOEWEN, Robert: Ko13
LÖWENZAHN, Leo: Ho23
LOGAN, Jack: Ho57
LOHDE, Clarissa: B16o
LOHSE, Hedwig: S215
LOIKAJA, Thomas: So23
LONSDALE, Jerry: Do55
LOON, Pit van: M13o
LOOS, Irma: Ho29
LOOTHMANN, Harro: H139
LORCA, Frank de: Ao41; B188; Do62;
    Fo87; Ho57; Ho59; Ho98; H214;
    H229; Ko99; K112; Lo98; So12;
    S164; S192; W121
LORCA, Frédéric H.: Lo68
LORD, Glenn: K154
LORENZ, Michael: Ho71
LORETTA, Joschi: Ro47
LORIOT: B243
LORIS: H188
LOSSIUS, Robert: Jo2o
LOTHAR, Ernst: M1o2
LOTHAR, Frank M.: Fo58
LOTHAR, Rudolf: S2o3
LOTTING, Eva: Co18
LOUIS, Carla: H13o
LOYD, Norman: Go87
LUBINGER, Eva: Mo76
LUCIFER: Mo69
LÜERSSEN, Margarethe: B164
LUKAS, Manfred: Ko69
LUNDBERG, Kai: Po61
LUNDBERGK, Thomas Maria: Wo59
LUNTZ, Heinrich Mo32
LUSSNIGG, Maria: M113
LUTHER, Renate K.: K141
LUTZ, Harro: Lo93
LUX, Harry: Do23
LYKKE, Till: Ao15
LYKOFF, Pierre: Ro72
LYNDS, Dennis: Do1o
LYNN, Godward: Ho6o
LYSANEK, Regine: Vo1o
LYSSAC, Lisa: Lo66

MACHER, Grete: So46
MACKS, Bert: Moo2
MACMADISON: Ro47
MACMILLAN, Mary: Wo8o
MacOKAY, A.: Koo2
MacROY, Calvin F.: Wo35
MADISON, Sandy: Voo3
MÄRWERT, Michael: Ho9o
MAETZ, Max: Wo85
MAGEDA, Lena: To48
MAHLOW, Erika: S174
MAHNSFELD, Eugen: Ko68
MAHR, Kurt: Moo8
MAHR, Paul Maria: So46
MAHR, Rud.: Mo87
MAI, Manfred: Mo12
MAILER, Cecil O.: Moo8
MALCHUS, Leila von: S2o7; Wo13
MALER, Philipp Gottfried: S227
MALLIEUX, Holm: Mo79
MALONE, Chuck: Woo8
MALORNY, Ralph: Ho57
MALTEN, Margarete: Ao56
MALTEN, Thea: Joo4
MAMPEL, Anne-Marie: Bo17
MANDER, Matthias: Mo14
MANDL-WEILEN, Helene: Wo41
MANFRED, Ingo: Po41
MANN, Daniel: Lo47
MANN, Matthias: Ho92
MANN, P. Gunter: G1o6
MANN, W. L.: Ho73
MANNALE, Sigrid: S148
MANON, Madeleine: Ho19
MANSFELD, Michael: Ho95
MANSON, Judy: S127
MANSOR, A. L.: B178
MANTAGNA, Gary: Wo82
MANTEL, Felix: K2o6
MANTHEY, Jutta: Mo59
MANUEL, Arthur: Mo56
MARBACH, Michael: Bo68
MARCUS, Roy: Mo74
MAREIN, J.: To48
MAREK, Max: Do42
MAREK, Waldo: Mo29

MARGRAF, Miriam: Lo5o
MARGRET, Ann: Go16
MARIA, Igna: Jo21
MARK, Alexander: S269
MARK, William: Ko18
MARKEN, Wolfgang: Mo17
MARKS, Michael: H19o
MARKS, T. W.: B188
MARKUS, Mario: Ro39
MARKUS, Urs: Ho82
MARKWALDER, Marga: Co26
MARL, Walter den: Moo3
MARLITT, Eugenie: Jo16
MARNEK, M.: Mo2o
MARNER, Frank: Eo63
MARROTH, Benno von: Go99
MARSAL, Una: Lo7o
MARSCHALL, Hanns: Ioo2
MARSCHALL, Rudolf: Ro69
MARSON, Jo: Lo74
MARTELL, Gunter: Bo52
MARTEN, Erich: Mo25
MARTEN, Marion: Ro64
MARTENS, Albert: W1o2
MARTENS, Fred: Eo56
MARTENS, Ralf: Uoo7
MARTIG, Sina: Boo2
MARTIN, Axel: Hoo2
MARTIN, Carola: Po84
MARTIN, Gigi: H231
MARTIN, Lee: Do18
MARTIN, Matthias: Fo92
MARTIN, Michael: Ko13
MARTIN, Otto: Fo42
MARTIN, Porter: To16
MARTIN, Raimund: Mo24
MARTINÉE, Raoul: Mo24
MARTINEZ, Benito: Boo8; Do18; Do82;
    Ho75; H22o; Ko99; Po7o; Vo27;
    Wo17; Wo9o
MARTINI, Andrea: Lo58
MARTINI, Lilli: B139
MARTINI, Peter: S238
MARTINI, Sebastian: Wo53
MARTINSON, Hans: Bo69
MARUT, Ret: Fo16

MARX-LINDNER, Lo: H164
MARZIK, Trude: Mo16
MAS, Christel: Hoo2
MASON, Andrew: To28
MASON, Margery: S122
MASON, Tex: Go87
MASOVIUS, Werner: Mo66
MASSAN, Fr.: Lo39
MASTERS, R. C.: S21o
MASUR, Erika: H2o9
MATHI, Maria: So59
MATRÉ, Hero: Mo37
MAURER, G.: M116
MAVEGE, Rud.: To48
MAVERICK, Randy: Roo9
MAWATANI, Nanata: Ao23
MAXIME, A.: B213
MAXWELL, Silvester: Do56
MAYENBURG, Ruth von: Do3o
MAYNC, Susy: Lo1o
McBROWN, Joe: Ko99
McCLOUD, Jason: H19o
McCORMICK, Inspector: Go87
McCOY, Cliff: K145
McCOY, Mike: S118
McCOY, Steve: Eo65
McDANIEL, Philip: Zo28
McDUNN, Garry: B127
McDYKE, Tensor: Uoo1
McGORGO: B1o5
McHART, George: Ho57
McKAY, Andrew: Eo65
McKAY, Charles: Do82; Go33; H22o;
    Po7o; Uoo4; Wo17; Wo63
McMAHON, George: Ho16
McMAN, Marc: Mo74
McMASON, Fred: Wo35
McMILLAN, Steve: Moo1
McPATTERSON, Fred: Eo68
McRITCHIE, Hal: Ro52
MEARE, Edna: Mo75
MECHLER, Ulrich: Fo31
MECK, Barbara: Co16
MEEKER, Jason: K2oo
MEHDEN, Heilwig von der: Ao11
MEIER, Lisi: Lo71

MEIER-KNÜLBENDORFF, Ralf-Rüdi-
    ger: Ro3o
MEINERT, Anneliese: Poo9
MEINHARDT, Peter: Mo15
MEINHART, Roderich: M118
MEINWERK, Christian: S259
MEISE, Editha: Fo91
MELIKOW: H188
MELLINA, Gloria: K2oo
MELTON, Clay S.: S16o
MELTON, George: Mo49
MENK, F.: Do47
MENKEN, Hanne: H172
MENTER, A.: Mo51
MENZ, Abi: K121
MENZ, Gisela: Moo5
MERIAN, Anne: Woo3
MERITT, Cade C.; Fo57
MERKER, Egon: So89
MERLING, Maja: Ao29
MERTEN, Gerda: Ro75
MERTEN, (T.) K.: K2o1
MERZ, Carl: Co34
MERZ, Konrad: Lo29
MESCALERO, Jeff: Po16
METLER, Alf: Foo9
METZNER, Käthe: K161
MEURER, Carsten: Ao41
MEYEN, Gertrud v.: K2o1
MEYER, Ed: Do38
MEYER, Olga: B141
MEYERN, Wilhelm-Friedrich von: Mo61
MEYRINK, Gustav: Mo58
MICHAEL, Anthony: Ro77
MICHAEL, Hans: S187
MICHAEL, Manfred: W1o1
MICHAEL, Martin: Zo12
MICHARELLI, Leni: W118
MICHEL, Max: Mo26
MICHELL, Jan: Go14
MICHELSBERG, Hans: S238
MIHALY, Jo: S223
MIKELEITIS, Edith: Eo14
MILBILLER, Professor: Noo4
MILES, Hugh: M1o6
MILES, John: Do18

MILLER, A. G.: Ko51
MILLER, Brünhild: Ao6o
MILLER, Gabriele: M1o4
MILLER, Hal: M1o7
MILLETT, E. B.: Ho75
MILLS, Eddie: Ro47
MILTON, Ted: Noo2
MIMBI: Ko42
MINDE-BONITZ, Grete: B171
MINDEN, Berte-Eve: H225
MISER, Abel: Jo14
MISES, Dr.: Fo1o
MODESTA: Do3o
MÖBIUS, Martin: B115
MOERIS, Robert: Go92
MÖRL, Lea von: R1o2
MOG, Jan: Ho64
MOIRA, Martin: B1oo
MOLANDER, Michael: Bo3o
MOLETTA, Francesco: S223
MOLINARI, Emilia: S274
MOLITOR, Jan: M122
MOLL, Rita: Wo53
MONDFELD, Wolfram zu: Lo83
MONGO, Marcos: Do62; Do82;
    Roo9; So68; S14o; S192;
    Wo21
MONORBY, Eberhard: Mo85
MONROE, Daniel: Ho26
MONTAG, Marcus: Ho26
MONTANUS, Dolf: Lo19
MOOR, Ernestine: Mo93
MOORFIELD, Frank: Bo31
MOOSBACH, Thea: Fo8o
MORA, Hedwig: Mo9o
MORAND, Eric: B211
MORAWA, Michael: Mo5o
MORE, Andreas: Ro81
MORECK, Curt: Ho14
MOREL, Ed: Bo14
MORELL, Juana: G1o8
MORENO, Filipp: Mo45
MORENO, Phil: Ko13
MORGAN, Clint: Woo8
MORGAN, Hans: H136
MORGAN, Jennifer: H2o7

MORGAN, Max: Po22
MORGAN, Tom: M1o9
MORGEN, Jörg: Do12
MORGEN, Jürgen: Do12
MORGEN, Keith: F1oo
MORGNER, Irmtraud: S111
MORIN, Michel: Ro66
MORITZ, Cordula: B154
MORKIM, I. B.: Go81
MORLAND, A. F.: Too9
MORLOCK, Martin: Go49
MORNAU, Wilja: Mo94
MORREL, Chester: S199
MORREN, Theophil: H188
MORRIS, Claude: Ioo8
MORRIS, Clyde: B11o
MORRIS, Dan: Mo46
MORRIS, Dave: Ro41
MORRIS, Dean: Too9
MORRIS, Jack: Boo8
MORRISON, Henry: B18o
MORRISON, Linda: Mo67; Mo68
MORRISON, Mischa: Ao22; Ho26
MORTIMER, A. F.: Too9
MORTIMER, Carrol: B175
MORTIMER, Glenn: K1o1
MORTIMER, Jack: Bo38
MORTIMER, Philipp: B188
MORTMAIN, Mortimer: Roo9
MORTON, Jack: Ao44; Boo8; Go87;
    K178; Ro41
MORTON, Olivia: So3o
MOSS, Cherry: B188
MOSS, Jerry: Ro11
MOSTAR, Gerhart Herrmann: H123
MOTRAM, Peter: S151
MOTTEN, Friede von: H173
MOUNT, Pitt: Bo86
MÜHLAU, Karl Borus v.: Ao21
MÜHLBACH, Renate: To11
MÜHLENFELD, Ulrich: Ho71
MÜHLGRABNER, Maria: Koo4
MÜHLHOFER, Inge(borg): Po82
MÜLLER, Alfred: M116
MUELLER, H. C.: M112
MÜLLER, Heinz Werner: H163

NOE SECUNDUS: Do39
NÖSNER, Friedrich: Co29
NOIRET, August: So38
NOLAN, Frederick: Boo8; Bo49; B121;
    B149; Do82; Ho75; Ho98; Ko99;
    K1o1; No13; S152; S192; Vo27;
    Wo63
NOLDEN, Arnold: Po24
NOLDEN, Susanne: Lo58
NOLDREN, Mark: Po2o
NOORDEN, Ruth: No2o
NORA, A. de: No29
NORD, F. R.: H21o
NORDEN, Heinrich: W1o7
NORDEN, Nick: Mo7o
NORDEN, Tim: Ko13
NORDHAUSEN, K. L.: Lo96
NORDMANN, Fritz: Ao56
NORDMANN, Sybille: Wo16
NORK, F.: K127; K136
NORMA, Nicola: Go75
NORMAN, Art: Go33
NORMAN, Peggy: Noo5
NORRIS, Gil: No12
NORTON, Gerald: No12
NORTON, John: No12
NORTON, Norbert: S244
NORWALD: S27o
NOV, J. M.: K123
NOVAK, Helga M.: Ko24
NOXIUS, Fred: So16
NOXIUS, Fried: So16
NULPE, H. C.: K1o5
NUSS, Emma: Mo1o
NUSS, Emmerich: Mo1o
NYSSEN, Ernst Wilhelm: H1oo

O'BRIAN, Ted: K1o1
O'BRIEN, Jeff: Mo27
OCH, Armin: Ooo4
O'CLEANER, James: B21o
O'CONNOR, William: Boo8
ODER, Felix: Vo26
OELBERMANN, Hannelie: Too1
OERTZEN, Margarete von: Fo99
ÖSTERREICH, Tina: S278

OFFERMANN, Heinz: K2o1
O'GUENTHER, John: To17
O'HARA, Dan: Ro43
OHL, Hans: K2o7
OKER, Eugen: Go11
OLD, Broderick: Uoo6
O'LEARY, Chester F.: K187
OLIVER, Jane: W1o5
OLIVER, Richard: Koo8
OLIVES, Ricardo: K2o1
OLIVIER, Stefan: S216
OLSON, Angie: Ko99
ONKEL FRANZ: Eo82
ONWARD, Mac: Ho7o
OPITZ, Christian: S1o5
ORBAN, Marcus T.: Mo74
ORLANDO, Chris: Ko42
ORLIK, Henry: Ko13
ORLIK, Jens: Ko13
ORLOFF, Frank: Ko13
ORLOFF, Wera: Foo6
ORLOFF, Wolf: B251
ORLOWSKI, Axel von: Ro39
ORT, Mik: Do28
ORTH, Jan van: S1o4
ORTWIG, F. D.: Doo7
OSKAR, Theodor: Co27
OSTAU, Ruth von: B191
OSTEN, Franziska: K121
OSTEN, I. S.: B188; Ho26
OSTEN, Ludwig: Mo17; Ro24;
    Vo26
OSTEN, Michael: Go56
OSTEN, Peter: Go52
OSTEN, Renate von: Ro24
OSTERBURG, Daisy: M13o
OTT, Peter: Voo6
OTT, S. C.: S15o
OTTEN, Heinrich: Ho79
OTTO, Franz: Fo69
OTTO, Helmut: S198
OTTO, Otto: Bo65
OVERLACK, James: Ho35
OWEN, Jessica: So41
OWENS, Ted: Ko13

PLINIUS DER JÜNGSTE: W114
PLOGAU, Fred: Ko13
PLUTUS: Uoo3
POKORNY, Wolf: S11o
POLDER, Markus: K176
POLDYS, Carol: Roo5
POLLMER, Emma: Mo33
POLO, Georg: Po54
POOL, Bill: Po76
PORTER, Harry: Bo31
PORTER, Ken: Go13
PORTER, Lex: B188
PORTER, Neil: Po16
POSITANO, Rico di: Lo54
POSSE, G. Peter: Mo43
POSSENDORF, Hans: Mo11
POTTER, Ronald: Lo41
PRÄGER, Hansjörg: Jo14
PRÄTORIUS, Heinz: S258
PRATT, Harper: Eo13
PRAUNHEIM, Rosa von: Mo81
PREECE, Charles M.: Po7o
PRESCOTT, Jim: Ro41
PRESTO, C.: Coo7
PRESTON, Fred: Po71
PRICE, Will: Go93
PRIEST, Carl: Po7o
PROBST, Anneliese: S155
PRÖBSTING, Beate: Ioo6
PRUSS, Friedrich: Zo13
PUBLIUS: Poo2
PUGANIGG, Ingrid: Ro93
PUCK, Peter: Ro35

QUEN, Thora-Ellen: Eo4o
QUINN, Henry: Ao41; Wo60; Zo28
QUINT, Robert: Eo61; Go33; Zo28
QUIST, Torner: B14o
QUOOS-RABE, R. C.: Fo57

RABIS, Valentin: S161
RACHMANOWA, Alja: H213
RACKER, Mathias: Uo11
RADEBRECHT, F.: Fo32
RADEMACHER, Heike: Ro41
RAÉ, Riccarda: Eoo7

RAIS, Hugh de: S261
RAMIN, Monika: Ro44
RAMIN, Fr. D. Ortwig: Doo7
RAML, Maria: Wo51
RANDALL, J. R.: Ro44
RANDALL, Rolf: Ro44
RANDALL, Ross: Ko13
RANDELL, Mike: B211
RANDEN, Ronald: H1o3
RANG, Benno: Wo3o
RANGER, L. S.: B155
RAPHAEL: K123
RASMUS-BRAUNE, Joachim: B2oo
RATJEN, Hans Harder: B116
RAU, Christine: Hoo2
RAU, David: Hoo2
RAUENBERG, Peter: Zoo6
RAUENSTEIN, Regina: So78
RAUER, Inge: Roo6
RAUSCHER, Franz: S177
RAUTEN, L. C.: Ro45
RAUTH, Rainer: Lo46
RAUTTER, Christiane: H165
RAVEN, Iris von: Fo63
RAVENDRO, Ravi: Do53
RAVENSBERG, Michael: H196
RAVIUS, Ernst Ludwig: S216
RAXIN, Alexander: K126
RAY, A. A.: No12
RAY-ATKINSON, John: Ao49
READ, Jack: Do62
REBERG, Alex: B255
RECHLIN, Eva: Bo21
RECKE, Conrad: Ro65
REDZICH, Constantin: Foo7
REED, Allan: Ro82
REES, Alexander von: S233
REESE, Willy: Ro24
REGA, Francesca: B157
REGAN, Rex: Ro48
REGER, Erik: Doo3
REGIS, Ancilla: Loo6
REHMANN, Ruth: S1o8
REHN, Jens: L1o2
REHN, Viktoria: K116
REHREN, Ludmilla von: H144

REICH, Bodo: Fo37
REICHARDT, Frank: Ao44
REICKE, Ilse: H223
REIHER, Rolf: Ko13
REIMER, Hans: K163
REIMEVA, Esther: Ho31
REIN, Elisabeth Maria: S18o
REINEL, Fritz: M1o3
REINER, H. G.: Go71
REINERS, Chris: B127
REINHART, E. W. A.: Eo11
REINHOLD, Fritz: Go77
REINHOLD, Karl Ludwig: Ko39
REINING, Edgar: Woo4
REINLEIN, M.: H125
REINOW, Hans: Ro37
REIS, Ernst Ludwig: K2o1
REISBACHER, Herman: Ho23
REISER, W. G.: Go72
REITBÖCK, Elisabeth: Fo4o
REITBÖCK, Ilse: Fo4o
REITER, Nanna: So82
REITERLEIN, Hannes: M125
REITTER, Nikolaus: H126
RELDNIK, C. E.: Ko58
RELHAM, Hedwig: Co28
RELL, Bert W.: Fo3o
RELL, Piter von der: Fo72
REMARQUE, Erich Maria: Ro42
REMPLE, Simon: Ko13
RÉMY, Illa: Co2o
RENARD, Madeleine: H191
RENAULD, Pierre: Ro47
RENÉ, Gaston: So22
RENN, Ludwig: Go57
RENN, Rolf: Ro44
RENNAU, Rolf: Ro44
RENNER, Pit: Ro24
RENO, John: H2o1
RENOLD, Martin: Po2o
RENTZOW, Britta: Co21
RENZ, Martin: Woo9
RESSING, Ron: H134
RETCLIFFE, Sir John: Go47
RETCLIFFE d. J., Sir John: H143
REUNERT, Diederich: Uo11

REUTIN, Georg: Fo59
REX, Arne: Mo64
REY, E. W. van: Ro49
REYNOLDS, Lionel: Ko56
RHEUDE, Ludwig: Wo83
RICCARD, Ernest: So99
RICE, Adam: Mo89; Vo1o
RICHARD, Frank: Bo66
RICHARD, Karl: B132
RICHARD, R. J.: Koo8
RICHARDS, K.: K1o5
RICHARDS, M. R.: Ho96; Too9; W121
RICHARDS, Tex: Too4
RICHARTZ, W. E.: Bo43
RICHLER, John: Bo66
RICHTER, Andreas Igel: Ro53
RICHTER, Hannes: Ao37
RICHTER, Helga: Jo3o
RICHTER, Josefine: B167
RIDEAMUS: Oo13
RIDER, Bert: Loo1
RIED, Carolin: H137
RIED, Franziska: Go73
RIEDER, Margot: S177
RIEGL, Carl: Ro32
RIEHL, Matthias: W113
RIENZIEHAUSEN, Borchers von: Ro24
RIESEK, Roland: Eo25
RIFLE, John: B188
RIGHT, P. M.: B194
RIGISEPP: Coo1
RIGO, Jani: So46
RIKART, H.: S129
RING, Georg: Ioo5
RINGELNATZ, Joachim: B161
RINGER, F. A.: Mo57
RINGO, Johnny: Bo25
RINK, Hermann: Mo73
RISSOW, Nils: Noo8
RITSCH, Claus: Wo85
RITTER, Felix: K176
RITTER, Ina: Jo3o
RITTER, Kurt: Ro39
RITTER, Lina: Po62
RITTER, Robert: Ao17
RIVER, Jack E.: S268

RIVERA, Don: Bo78
ROBBY, Alex: Ko12
ROBÉ, Alexander: Coo3
ROBER, Karl: Mo22
ROBERT, Henry: Po78
ROBERT, Mäti: Ro74
ROBERTI, Eduardo: So21
ROBERTS, Dan: Wo61
ROBERTS, Fred: H142; H143
ROBERTS, H. G.: Boo8
ROBERTS, L. R.: Jo27
ROBERTS, Mark: So22
ROBERTS, Michael: S192
ROBERTS, Mike: S192
ROBERTSON, Dirk R.: Ho47
ROBERTSON, James: Go15
ROBERTUS, Gerda von: B174
ROBINSON, Kay: Moo9
ROCAFUERTE, José Maria: Ko36
ROCCO, Rodolfo: Fo11
ROCK, C. V.: Ro77
ROCKER, Ferry: Eo74; W117
ROCKERFIELD, G. M.: S21o
RODA RODA, Alexander: Ro91
RODEN, Robert: Fo55
RODENBACH, Zoe van: Soo2
RODOS, Hans: S251
ROEDER-GNADEBERG, Käte von: Fo28
ROEDERN, Joachim von: Mo86
RÖDERN, Ruth: Wo57
RÖH, Ursula: Ro14
RÖNCKENDORFF, Edda: Jo1o
ROESSLER, Carrie: S146
ROGGENDORF, Uta: Bo11
ROGGERSDORF, Wilhelm: Uo11
ROHDE, Hedwig: Ooo7
ROHDEN, Ernst: Eoo1
ROHMER, Hans: Too6
ROLAND, Georges: Bo28
ROLAND, Henry: Po78
ROLAND, Jürgen: So35
ROLAND, Nic: No19
ROLAND, Otto: Lo23
ROLAND, Peter: Go48
ROLAND, S. F.: Ro87
ROLAND, Susanne: So3o

ROM, Thé von: Ro85
ROMAN, Friedrich: Ro86
ROMAY, Roman: Lo14
ROMBERG, Hans: S188
ROMBERG, Jenny: B21o
ROMEN, Robert: Ao44
ROMMEL, Thea von: Ro85
ROMMY, Thomas: Mo3o
RONDA, Luise von: So3o
RONECK, Eleonore: R229
ROOSEN, Eva-Maria: S182
ROSE, Felicitas: Mo84
ROSEN, Asta von: S144
ROSENBERG, Gill: K122
ROSENFELD: Co11
ROSENHAIN, Paul: To35
ROSENWALL, Ph.: Ro19
ROSNER, Hans: Go61
ROSS, Jake: H22o
ROSS, Ronald: Ko83
ROSSA, Barba: Ro92
ROSSER, G.: Go85
ROSSITER, Sam: Do18
ROSSMANN, Martin: Wo28
ROSTOCK, Rainer M.: S118
ROTENBURG, W. von: K12o
ROTH, Claus: So52
ROTH, Michael: Do67
ROTH, Susanne: Go73
ROTHBERG, Gert: Joo2: Wo2o
ROTHE, Greta: K2o1
ROTHEN, Hans: Fo17
ROTT, Max: S222
ROTT, Maximilian: So88
ROUSSEAU, Pierre: S16o
ROUSSEL, Pet: S16o
ROVALI, Carlo: Ro46
ROY EARL OF TERBIGGERS-ELLIN-
    GER, Charles: Eo39
ROYAN, Roy: Bo85
ROYCROFT, James: Fo88
ROYDON, Rey: S199
RUBIN, Sep: Bo18
RUBININ, Lionel: B165
RUDERSBERG, Peter: K145
RUDOLPH, Georg: Eoo8

RUDOR, Jack: Do67
RÜEGG, Kathrin: So57
RÜTTING, Barbara: Eo27
RUF, Adam: B199
RUFER, Wilfried: B241
RUGE, Simon: K194
RUITER, Jan: Ro47
RUSS, Harry: S159
RUST, Albert Otto: Ao4o
RUSTESCH, Gerhard: K144
RUTTE-DIEHN, Rosemarie: Do36
RYAN, Jack: S16o
RYMANN, Chet: M123
RYKER, Monty G.: Go33
RYS, Jan: No1o

SAALFELD, Martha: So32
SAAR, Lilli: K131
SABUROWA, Irina: Ro88
SACHS, Jetta: Co21
SAIIARIEN: Po31
SAHDAS, Gerd: Do61
SAHLSTAEDT, Bertil E.: Ho63
SAHM, Oskar T.: Ho12
SAINT-HÉLIER, Monique: B218
SAINT-PIERRE, Laura: H1o3
SALECK, Jean-Charlot: B2o5
SALIK, Konrad: B2o8
SALTEN, Felix: Soo6
SALTERA, L. v.: Woo7
SALTERN, L. v.: Woo7
SALZER, Alois H.: Wo25
SAMAROW, Gregor: Mo41
SAMEDY, F. J.: So6o
SANDBERG, Corinna: Ao44
SANDER, Frank: Noo9
SANDER, Fred: Too4
SANDER, Karla: So91
SANDER, Simon: Ko83
SANDERS, Evelyn: S25o
SANDERS, Phil E.: K117
SANDERS, Ricardo: Soo7
SANDERS, Suzette: H115
SANDOW, Gerd: Po77
SANDOW, Gert: Po77
SANDOW, J. G.: Po77

SANKT ALBIN: Ao48
SANTO, Diego el: So27
SANZARA, Rahel: B133
SARIS, Rhet: Go33
SATORIK, Peter: So94
SAWERSKY, Maria von: Bo44
SAZENHOFEN, Alexandra von: So42
SAZENHOFEN, Gabriele von: S186
SCARPI, N. O.: B169
SCHAAKE, Ursula: H2o7
SCHACK, Jean: H16o
SCHADEK, Peter: Ko13
SCHÄFFER, E.: Ro69
SCHAEFFNER, Georg: K129
SCHAFFER, Michel: Ro31
SCHAIBLE, Elisabeth: Do8o
SCHALLES, Lotte: B181
SCHAMI, Rafik: Foo2
SCHARBUCH, Vicky: Woo9
SCHARTENMEIER, Philipp Ulrich: Voo8
SCHAUFF, Hermann: So39
SCHEEL, Marianne: Go62
SCHEERBART, Paul: K184
SCHEFFLER, Friedel: Ooo6
SCHEFSKY, H. H.: S19o
SCHELL, Walter: Po74
SCHELLBACII, Hans: So34
SCHELLE-NOETZEL, A. H.: B224
SCHELLER, Nikolaus: Fo59
SCHELPER, Clara: Wo32
SCHENCK, Burkhard: B117
SCHENCK, Sibylle: Bo56
SCHENCKENDORFF, C. E. von: Coo6
SCHERER, Joseph: Wo72
SCHIEFER, Hermann: Ao61
SCHIEWEG, Margareta: S177
SCHIPPER, Ulrich: Eo55
SCHIRMANN, Li: Go1o
SCHLAGETER, Jeanne: Do81
SCHLEMIHL, Peter: To25
SCHLICK, Ulrike: S284
SCHLUTOW, M.: No18
SCHMIDTBONN, Wilhelm: So73
SCHMIDT-ELLER, Berta: K189
SCHNEE, Peter: Wo56
SCHNEIDER, Bastian: B21o

SCHNEIDER, J.: Eo32
SCHÖNBECK, Marianne: Ko77
SCHÖNENBERGER, Elisabeth: Ho61
SCHÖNERMARK, J.: So15
SCHÖNHERR, Dietmar: S1o2
SCHOLTIS, August: B162
SCHOLZ, Ferdinand: Ro2o
SCHORN, L. B.: Po77
SCHOSTACK, Renate: K188
SCHOTTE, Paulus: Eo36
SCHRAUT, Max: Koo1
SCHRECK, Joachim: Bo47
SCHREIBER, Jutta: Mo59
SCHREIBER, Rainer: Po39
SCHREYER, Esther Maria: Vo1o
SCHRÖDER, Markus: M129
SCHROEDTER, Billa: Co32
SCHUBIN, Ossip: Ko61
SCHUDER, Rosemarie: H154
SCHÜRRER, Ute: Eo62
SCHUGGE, M. E.: Koo1
SCHULTZ, Cäcilie: Ro71
SCHULZ, Joh.: K2oo
SCHUMANN, Edzar: Eo14
SCHWAB, Anton: Lo72
SCHWARZ, Alexandra: S147
SCHWARZ, Alice: Goo4
SCHWARZ, Erica: Do14
SCHWARZE, Peter: Foo6
SCHWARZER, Anneliese: Eo72
SCHWEIZER, Frank: Lo99
SCHWEIZER, H.: B189
SCHWENK, Karl Emil: S151
SCHWENN, Günther: Fo64
SCHWERIN, Titty: S145
SCHWERTENBACH, Wolf: Mo6o
SCHWINDT, Barbara: S147
SCOPE, Colin: Wo9o
SCOPER, L.: S1o3
SCOTT, Allan: Ko22
SCOTT, Carl de: Ooo1
SCOTT, Charles: Lo39
SCOTT, Gordon: So68
SCOTT, Henry C.: Ao53
SCOTT, Henry O.: Foo6
SCOTT, Ray M.: S118

SCOTT, Scott F.: To16
SCOTT, Ted: Fo57; H184; Po16; Po77
SCOTT, Tom: H158
SCOUT, Ted: B188
SEALSFIELD, Charles: Po6o
SEBASTIAN, Klaus: Zo1o
SEBASTIAN, Peter: So94
SEBASTIAN, Till: Bo79
SEBOTTENDORF, Rudolf Fhr. von:
    Go38
SEEFELDER, Andreas: Jo17
SEEL, Jochen: Eo77
SEELMANN, Kurt E.: B111
SEESTERN: Go67
SEGELCKE, Johann Peter: Go97
SEGHERS, Anna: Roo4
SEGOVIA, Phil: Go59
SEHNSTORFF, Michael Reghulin von:
    Go76
SELBER, Martin: Mo52
SELINKO, Annemarie: K165
SELL, Fred: Go34
SELL, Peter: Lo26
SELLEN, Gustav: Ao26
SELLNER, Erika: K2o1
SENFTBAUER, E.: Jo14
SEON, Siggi: Ko13
SERRA, Ralph: Ioo7
SERVATIUS, Victor: Bo93
SEUBERLICH, H. Grit: Ho77
SEVERUS, Sibylle: Ooo3
SEYMOUR, Henry: Ho56
SEYMOUR, Wayne: Ho56
SHADOW, Mike: Eo3o; Go33; Go64;
    Ho59; K193; Ro87; Wo45
SHANE, J. E.: Jo22
SHANE, Young E.: Jo22
SHANNON, Bill: Boo8
SHANNON, Mark: Go87
SHANNON, Robert: Fo11
SHAPIRO, Cora: Mo29
SHARK, Rolf: K128
SHARON, H. S.: S21o
SHARP, Hooker: Go87
SHENLEY, John D.: Lo68
SHEPHERD, Conrad: So17

SHERARD, Brian: Fo88
SHERIDAN, Jim: Eo65
SHERIDAN, Raymond M.: S118
SHERIFF BEN: Jo12
SHERWOOD, Henry: S157
SHOCKER, Dan: Ao41; Do82; Go66; Ho59; Lo15; Noo3; Ro87
SHOLS, W. W.: S1o7
SHORT, Frederic: Fo88
SIDONS, C.: Po6o
SIEBENBRODT, Dorothee: Foo8
SIEBENPUNKT, Amadeus: Do58
SIECK, Heide: Ho87
SIEGEL, Steve: Do79
SIEGENTALER, Peter: H178
SIEGFRIED, Werner: Bo38
SIEGMAR, Rudolph: S243
SIEGMUND, Heinrich: Do22
SIEGWART, Alfred: B113
SIGNEUR MESSMAHL: Go76
SILESIUS, Eduard: Boo3
SILL, Peter: So18
SILLS, Robert: S247
SILVA, Ben: Ho98
SILVESTER, Claus: Do56
SILVESTRE, Dino: B122
SIMON, Irving: Ho16
SIMON, Katharina: K18o
SIMON, Katja: Ho38
SIMON, Sibylle: So53
SINCLAIR, Emil: H133
SINCLAIR, Luke: W1oo
SINGER, Ernest: K149
SINN, Ingeborg: S181
SIRRAH, H.: Zoo9
SIX, Jupp: B146
SIXT, Peter: Mo39
SJÖBERG, Arne: B215
SKALBERG, O.: S184
SKINNER, Arno: Do62
SKY, Frank: Fo57
SLADE, Jack: Ao44; Boo8; Bo49; B149; Do18; Do82; Eo65; Fo87; Fo88; Ho57; Ho75; Ho98; Ko99; K185; Mo3o; Mo31; Mo68; No13; Po7o; Roo9; Ro41; Ro78; S118; S152; S192; S21o; Too9; Wo17; Wo35; Wo63; Wo82
SLADE, Ted: Ao41; Ho26; Wo6o
SLATTERY, C. C.: Uoo4
SMIT, Will: So81
SMITH, Alan D.: S144
SMITH, Angela: H19o
SMITH, G. E.: So64
SMITH, Henry: So65
SNUT, Hein: Soo3
SOBEK, Victor: Too7
SOBERGK, Cora: H166
SÖLM, Oly: Wo99
SÖLMUND, Olav: K164
SOELNITZ, E. W. von: Wo69
SOLITAIRE, M.: No36
SOLO, Franco: Eo65; Fo37; Ro41; S118; Too9; Wo82; Wo89
SOMMER, Erika: So78
SOMMERER, Thea: Do25
SOMMERS, Frank: No26
SONAMA, Gerda: Mo95
SONNENBERG, Jutta von: So51
SONNHOF, Maria von: B195
SONNLEITNER, A. Th.: To38
SOREL, Stefan: S239
SORGE, Brigit: Ho85
SORGE, Franz: So97
SORGENFREI, Peter: Wo36
SPÄT, Konrad: Go26
SPANDEY, Will: S199
SPECHT, Barbara: Po56
SPENCER, Clark: B188
SPENCER, Eliot: S1oo
SPIDER, John: Ao41; Ao44; Ho81; Ro87; Too9; Zo28
SPIELMANN, Werner: Mo17
SPIELMANNS, Jörg: Lo98
SPINALBA, C.: S2o1
SPIRIT, Gordon: Boo8
SPITZNAGEL, D. Kilian Zebedaeus: Do52
SPRING, Della: S122
SPRINGER, H. W.: S192
SPRUNG, Renate: Ro6o
STAB, Jakob: Do24

273

STÄRK, Barbara von: K186
STAHL, Achim: Ho25
STAHL, Heinrich: Too8
STAHL, Herbert: Ko34
STAHL, Maré: Ko32
STANFORD, Lara: H2o4
STANLEY, Dr.: Floo
STANLEY, Hexer: Mo97
STANLEY, J. F.: Floo
STANMORE, John: S275
STANYA, F.: Jo14
STAR, Valerie: S136
STARKE, R.: K146
STARNBERGER, Ludwig: Wo53
STARNE, Peter L.: B188
STAU, Paul: To23
STAUB, Margrit: Uo12
STAUFFER, Bernhard: Wo22
ST. CYR, Melanie: So51
STEEN, Albert: Ao15
STEEN, I. V.: M116; So66
STEEN, Ive: So66
STEEN, Petra van: Go43
STEENBERG, Sven: Do54
STEENFATT, Margret: Wo58
STEIN, Barbara: Ho19
STEIN, Claus: Ko13
STEIN, Florian: Hoo2
STEIN, Frank N.: K182
STEIN, Gregor: Go68
STEIN, Lola: S24o
STEINART, Armin: Lo88
STEINBACH, Ellen: K134
STEINBERG, Jill: Ro67
STEINEMANN, Fritz: B198
STEINEN, Robert: Wo74
STEINER, Alexis: Ro94
STEINER, Conrad C.: Ho26
STEINER, Jutta: M13o
STEINER, Robert O.: Qoo2
STEINHOFF, Peter A.: S232
STEINMANN, Elsa: Bo12
STENDAL, Gertrud: B221
STEPHAN, Agnes: K16o
STEPHAN, Peter: Wo68
STEPHANI, Marion: Go15

STEPHENS, Lon: M1o8
STERLING, Edgar T.: Ro77
STERN, Sebastian: Ko13
STERNAU, Theo von: H136
STERNBERG, Alexander von: Uoo8
STERNBERG, Jürgen W.: Wo23
STERNE, Bill: Lo34
ST.ETIENNE, G. de: S237
STETTNER, Erik: Ko13
STEUBEN, Fritz: W1o4
STEVEN, Ralph: Vo22
STEVENSON, Alexander: K185
STICHLING, Caspar: Do61
STILETT, Hans: S246
STILLE, C. A.: Co11
STILLER, Karl: Mo25
STIRLING, Glenn: Do42
STIRNAGEL, Alois: Eo68
STOCKER, Paul: M116
STOCKHAUSEN, Juliana von: Goo7
STÖRTEBEKER, Jan: S12o
STOHR, Petra: Soo1
STOLL, Ursula: Jo3o
STOLLE, Ferdinand: Ao33
STOLP, Hannes Peter: Lo72
STONE, Kassi: Ro62
STORM, Jessica: S118
STORR, Robert: Mo13
STOSCH, Hellmut: Wo31
STRAASS, Frank: Bo35
STRANGER, Bert: Po16
STRAUSS, Linda: S263
STREERBACH, Albert von: Joo9
STREFF, Ernst: No23
STREIT, Elisabeth: S264
STREITTER, Beatus: S2o6
STROMSZKY, Lisa: S253
STRONG, Al: S267
STRONG, Harry: K146
STRONG, Pitt: Ao56
STRUBBERG, Achim F.: H216
STRUNZ, Peter: Ao56
STUART, Cäsar: Fo45
STUART, C. F.: Fo45
STUART, Kenneth: K115
STUART, Tonny: B155

THOMPSON, Fred: No27; Po75
THOMPSON, Ralph L.: Fo98
THOOK, Garry: Mo3o
THORWALD, Jürgen: B17o
THUL, Victor: Woo4
THURN, Fritz: Fo56
THYROW, Christiane: B2o1
THYS, Frank: Ro25
THYSELIUS, Thora: Bo64
TIGER, Theobald: To51
TILL, Lukas: S212
TILLEWEID, Lutz: Zo16
TILMAN, Tilo: H1o3
TITUS: S179
TJÖRNSEN, Alf: Ro99
TOBBY, Tim: Po18
TOBER, Sixt: Lo16
TOBIAS, Rolf: So83
TOBOS, A.: S189
TODD, Owen L.: Go66
TODD, W.: K145
TÖLLE, Gisela: S245
TOEPFER, Carl: S242
TOGESEN, Vibber: Ro89
TOLD, Gustav: Ao52
TOKKO, Ri: Do27
TONYUS, Heinz: Ko88
TOOLE, Peter: Po85
TORAHN, Lena: To48
TORBERG, Friedrich: Ko2o
TORRIS, Christiane v.: Ro22
TORSTEN, Lars: B188
TORSTEN, Thea: Eoo2
TORTHOFER, Hilda: Ko93
TORWEGGE, Claudia: Eo3o
TOURNET, Jean Jacques: Go15
TOVARDS, John: Soo9
TRÄNKEL, Margot: K16o
TRAFT, Ringo: Noo2
TRAHK, Werner: Po81
TRAIBER, G. F.: S21o
TRAKEHNEN, Erika: H156
TRAMIN, Peter von: To5o
TRASS, Eugen: Bo79
TRAVEN, B.: Fo16
TRAVEN, Diana: Co15

TRAVERS, W. A.: Ho59
TRAVIS, Gordon: So14
TREATH, Fred: Too9
TREBONIUS, R.: Ho44
TREFF, Ben: S21o
TRENCK, Peter: Co37
TRENK, Peter: Ko13
TRENTON, Olsh: Ao41; Go33; Wo45
TRES, L.: Boo4
TREVERANUS, Petrus: Ko94
TREY, Stephan: Go15
TROJAN, Eva: B156
TROLL, Henry: Go3o
TROLL, Thaddäus: Bo41
TROOST-FALCK, Leonore: S282
TROSSAU, Burkhard Astl: Ao57
TROTT-THOBEN, Tilly: Ho93
TRUD, Ger: S241
TRUTH, Hansel: H128
TUCKER, Ben: Boo8
TÜVARI, Tessa: Eo26
TURBOJEW, Alexej: So27
TUREK, Will: Bo96
TURK, Kay: B188
TURNER, Allan: Ko13
TURNER, L. A.: Lo13
TURREK, Sam: Foo6
TWELKER, Thomas: Ko83
TWERNE, Erlik von: Mo68
TYLER, John: Wo84

UDEN, Horst: K2o8
ÜBERZWERCH, Wendelin: F1o4
UENTZE, Hertha: Ko19
UHDEN, Johannes: S116
UHL, Renate: Zo23
UHL, Yvonne: Moo9
UHLENBRUCK, Dieter: Eoo1
UHLENBUSCH, Hugo Paul: S113
ULAR, Alexander: Uoo3
ULLER, Tyll: Do87
ULLMAN, Robert: Eo13; S217
ULLMANN, Urban: Ko83
ULLRICH, Luise: Coo9
ULMAN, Frank: Bo32
ULMER, Florian: H152

WALTER, R.: B129
WALTERS, Ralph M.: Ioo8
WALTHER, Karla: Koo1
WANK, Thomas: Ko13
WARD, Linda: Ro4o
WARD, Rob: So21
WARNER, Dr.:
WARNER, Hal: Wo63
WARNOFRIED: Ko59
WARREN, Ben: Go81
WARREN, Earl: Ao44
WARREN, Hans: Ro34; Ro35
WARREN, Linda: Ao44
WARREN-HOLM, Hans: Ro35
WARRICK, Lon: Boo8
WATSON, Dr. John: Oo22
WAYER, Fred M.: Wo35
WAYNE, D. C.: Wo35
WAYNE, J. H.: Ko99
WEBBS, G. E.: So64
WEBER, Annemarie: Lo89
WEBER, Karin: Jo3o
WEBER, Lucian: Eo48
WEBER, Veit: Woo1
WEBSTER, Bill: S265
WEBSTER, Harry: B211
WEDDING, Alex: Wo48
WEGE, Lo: Wo34
WEGO, G. F.: Bo25
WEIDEN, Annelie: S134
WEIDENHEIM, Johannes: So67
WEIKERSHEIM, Matthias: Do61
WEILENMANN: K2o1
WEILER, Andreas: B192; B252
WEINERT-WILTON, Louis: Wo44
WEIRING, Katja: Bo13
WEISSENBORN, Erna: S196
WEISS-SONNEBURG, H.: W123
WELK, Ehm: To45
WELLER, Freddy: B254; Go27; Ko73
WELLER, Philipp: Lo72
WELLING, Renate: G1o3
WELLS, Frank: Po48
WELLS, J. E.: S157
WELLS, Tim: Ko13
WELTEN, Heinz: Po29

WELZ, Martin: Ko13
WELZ, Stefan: Ko13
WELZ, Thomas: Ko13
WENCK, Lene: Ko25
WENDEL, Ottokar: Po22
WENDELBURG, Otto M.: Mo73
WENDELIN, R.: Do13
WENDHOFER, Toni: Jo17
WENDLAND, Heide: H122
WENDLAND, Lambert: S224
WENDLAND, Martin: S271
WENDT, Julia: Do55
WENDT, Käthe: Koo1
WENGEN-BERGER, K.: Ko22
WENK, Rudolf: Co36
WERDENBERG, Heidi: No32
WERNER, Claus: S238
WERNER, Heinrich: Zo17
WERNER, Katharina: Go53
WERNER, Klaus: S173
WERNER, Peter: S238
WERNER, Petra: Go2o
WERNING, Andreas: B192
WERO: Ro92
WERTH, Rudolf van: Bo95
WERTNER, Heinz: H15o
WERY, Ernestine: Eo24
WESSEL, Oktavia: Co32
WESSLING, M. v.: B129
WEST, Gerda: Wo42
WEST, Harald: Ao56
WESTA, Thomas No31
WESTERKAMP, Thomas M.: Aoo6
WESTMANN, Harald: Ao56
WESTON, C. W.: Wo86
WESTPHAL, Jutta: So2o
WESTRUM, Hans: Bo34
WETCHECK, J. L.: Fo27
WHEATLEY, G. W.: Bo58
WHITE, James S.: Ro44
WHITE, Loftus: H211
WHITE, Sylvia: F1oo
WHITMAN, John: Fo88
WHYMER, Mac: Wo93
WIDBORG, Michael: Lo47
WIDMANN, Ines: Ho72

WIDOC, E. N.: Po17
WIEBEL, Marion: K2o1
WIED, Ann: Go43
WIED, Leo: Wo78
WIEDEN, Erika: Joo8
WIEDEN, Ruth: Do3o
WIEGAND, Gudrun: Wo2o
WIEK, Bruno S.: To46
WIEN, Alexander: K13o
WIENER, Hans W.: Wo84
WIENER, Ralph: Eoo3
WIESE, Christiane von: Ko3o
WIESE, Ursula von: G1o3
WIESEMANN, Eva-Maria: S182
WIESEN, Fred: Wo91
WIETIG, Annemarie: B245
WILDBERG, Bodo: Do31
WILDE, Karin: Ro12
WILDEN, Harry F.: Po12
WILDERS, Juliane: Go75
WILDING, Karl: Ho83
WILDING, Pat: Do55; No12
WILFORD, Harry: Ho59
WILHELM, Armin: S225
WILHELMI, Helma: H218
WILKE, Dirk: Ao1o
WILKOW, Michael: Ko13
WILL, Ruth: Go36
WILLBERG, Heino: B131
WILLBORG, Wimm: So99
WILLCOX, Les: Wo9o
WILLE, Erika: Joo8
WILLIAMS, Ben: Wo92
WILLIAMS, Chris: Ko78
WILLOW, John: Bo32
WILLRECHT, Waldo: Ao16
WILSON, Clark S.: Ho84
WILSON, Hal: H158
WINDMÜLLER, Ilse: Po5o
WING, Max: Wo24
WINGERT, Heiner: Bo7o
WINHELLER, Charlotte: Fo6o
WINKLER, Dieter: Ro25
WINKLER, Johannes: Woo6
WINTER, Corinna: Lo58
WINTER, Detlev G.: H2o8

WINTER, Helga: Jo3o
WINTER, Thomas R.: Bo94
WINTERLYT, J. v. d.: Wo11
WINTERNITZ, Friderike Maria von:
  Zo31
WINZER, Felix: Go51
WIPP, Peter: Vo2o
WITSCHAS, E. A.: Vo12
WITTENBOURG, Jacob: Wo65
WITTGEN, Tom: S171
WITTINGHAUSEN, Arty: Fo34
WITTMUND, Eva: So99
WITZIG, Anneli: Lo71
WITZLEBEN, Uta von: Ko23
WIWJORRA, Ernst Otto: Eo38
WODAK, Hermann: Koo2
WÖLFFLIN, Kurt: W1o6
WÖSS, Fritz: Wo49
WOHLMUTH, Hans: Po4o
WOLDECK, Hans: Goo8
WOLF, Alexander: Ro8o
WOLF, Emma: S192
WOLF, Hans: S192
WOLF, Henry: B252; H19o; S144
WOLF, Paul: Vo1o
WOLF, Rainer: K153
WOLF, Robert: S192
WOLF, Roman: Ro61
WOLF, Stefan: Ko13
WOLFENBERG, Peter: Ko97
WOLFF, Agnes: Vo18
WOLFF, Fred von: Vo18
WOLFF, Klaus: Oo21
WOLFF, Sebastian: Ao25
WOLFF-SASSE, Hermann: Ao41
WOLFGANG, Bruno: Po72
WOLFGANG, Hans: Bo66
WOLFGARTEN, Bert: Ko13
WOLFKIND, Peter Daniel: Vo28
WOLFRAM, Hellmut: H185
WOLFSHAGEN, G. v.: Coo8
WOLICK, Peter: B222
WOLLER, Hermann: H2o3
WOLTER, Frank: B211
WOLTER, Hans-Joachim: Co14
WOLTER, Werner: Go81

WOOD, Mark L.: Jo12
WOODWARD, Mel: Do69
WORTH, John: K2o1
WOTHE, Anny: Moo7
WRCHOWETZKY, Karl: Wo7o
WROBEL, Ignaz: To51
WUEST, Gritli: Lo71
WUNDER, Erasmus Bo89
WYMAN, John: Wo82
WYNDHEIM, Victor: Ko65
WYNES, Patricia: Ro72
WYNES, Patrick: Ro72

YALE, Rex: Bo14
YELLING, Dan: B155
YESTER, Burt: B211
YORK, Helga: Eo72
YOUNG, Gordon: Jo26
YPSEN, Udo: B211
YZ: Boo4
YZEREN-LOON, Willem van: M13o

Z., Tommy: Zo28
ZABEL, Thomas: S22o

ZANTA, C. C.: K2o1
ZASCHKE, Anna: K14o
ZECHT, Bernhard: Ao56
ZEEMANN, Dorothea: H198
ZEHLEN, Otto Ho44
ZEHLEN, W. I.: Koo1
ZELLER, Liesl: Ko99
ZEYCK, Karin van: H163
ZIEGLER, Mano: Zo14
ZIEGLER, Marianne von: R1o3
ZIEGLER, Thomas: Zo28
ZIEGLER-STEGE, Erika: Ko72
ZIEMANN, Martina: K2o1
ZIERING, Elfriede: So5o
ZIMMERMANN, Maria: H17o
ZINNER, Hedda: Eo69
ZINTH, Sirmione: Ho55
ZINZENDORF, Nikolaus: S195
ZÖCHBAUER, Franz: So48
ZOGENREUTH, G. H.: H119
ZOLLER, Arno: Lo56
ZORRO, José: Do41
ZWEYDORN, Peter: Ho63

ZUR ÜBERPRÜFUNG UND ERGÄNZUNG DER EINTRAGUNGEN WUR-
DEN FOLGENDE WERKE HERANGEZOGEN:

H. J. Alpers/ W. Fuchs/ R. M. Hahn/ W. Jeschke (Hg.), Lexikon der Science
Fiction-Literatur. München 1988.

Manfred Barthel, Lexikon der Pseudonyme. Über 1ooo Künstler-, Tarn- und
Decknamen. Düsseldorf/Wien 1986.

Heinz Bingenheimer, Transgalaxis – Katalog der deutschsprachigen utopisch-
phantastischen Literatur 146o – 196o. Friedrichsdorf/Taunus 196o.

R. Gustav Gaisbauer (Hg.), 25 Jahre Hugh Walker – Autor der Finsternis.
Passau 1988.

Marianne Jabs-Kriegsmann, Zerrspiegel.Der deutsche Illustrierten-Roman 195o
– 1977. Stuttgart 1981.

Joachim Körber (Hg.), Bibliographisches Lexikon der utopisch-phantastischen
Literatur. Meitingen 1984 ff.

Kürschners Deutscher Literaturkalender. Berlin (verschiedene Jahrgänge).

Gerhard Lindenstruth, Science Fiction- und Fantasy-Namensschlüssel. Künstler-
und Tarnnamen in der utopischen und phantastischen Literatur im deutschen
Sprachraum. Das Phantasmaskop, Band 3. Gießen 1986.

Heinrich Pleticha, Abenteuer-Lexikon. Würzburg 1978.

Werner G. Schmidtke, Schmidtkes Pseudonym-Spiegel. Autoren der Unterhaltungsliteratur und ihre Tarnnamen. München 1984.

Erik Simon/ Olaf R. Spittel (Hg.), Die Science-fiction der DDR. Autoren und
Werke: Ein Lexikon. Berlin (Ost) 1988.

Klaus-Dieter Walkhoff-Jordan, Bibliographie der Kriminal-Literatur 1945 –
1984 im deutschen Sprachraum. Frankfurt/Berlin/Wien 1985.

Rein A. Zondergeld, Lexikon der phantastischen Literatur. Phantastische
Bibliothek, Band 91. Frankfurt/M. 1983.

Zum Autor – JÖRG WEIGAND

geboren am 21. 12. 1940 in Kelheim/Donau, Studium der Sinologie, Japanologie und Politischen Wissenschaft in Erlangen, Paris und Würzburg, 1969 Promotion zum Dr. phil. mit einer Arbeit über den altchinesischen Militärtraktat Wei Liao Tzu. Seit 1973 Fernsehkorrespondent im Studio Bonn des ZDF. Langjährige Beschäftigung mit der Unterhaltungsliteratur in allen Erscheinungsformen. Neben sechs Büchern zur Kultur- und Geistesgeschichte Chinas (u. a. »Fensterblumen. Papierschnitt-Kunst aus China«, 1977; »Staat und Militär im alten China, 1979; »Lao Tse Weisheiten«, 1982) gab er zwei Sammelwerke zu Medienfragen heraus: »Die triviale Phantasie. Beiträge zur Verwertbarkeit von Science Fiction«, 1976, und »Jugendmedienschutz – ohne Zensur in der pluralistischen Gesellschaft« (mit R. Stefen), 1978. Neben der Veröffentlichung eigener Erzählungen, die zu einem großen Teil in drei Bänden gesammelt vorliegen (»Der Traum des Astronauten«, 1983; »Schneevogel« und »Der Störfaktor«, beide 1988), gab er weit über 20 Anthologien mit Science Fiction und phantastischen Erzählungen vor allem deutscher und französischer Autoren heraus, darunter »Die Stimme des Wolfs«, 1976; »Die andere Seite der Zukunft«, 1980; »Vorgriff auf morgen«, 1981; »Die Träume des Saturn«, 1982; »Deutschland Utopia«, 1986; »Die anderen sind wir. Ein Lesebuch der neuen deutschen Science Fiction«, 1989.

Heinz Müller-Dietz

Grenzüberschreitungen

Beiträge zur Beziehung zwischen Literatur und Recht

Die 22 Beiträge des Bandes thematisieren Darstellung und Verständnis des Rechts und der Juristen im literarischen Diskurs des 19. und 20. Jahrhunderts. Im Mittelpunkt stehen deutschsprachige Autoren und Texte, die sich bevorzugt juristischer Fragen angenommen haben. Die Beziehung zwischen Literatur und Recht wird vor allem am Beispiel verschiedener Gattungen (Aphorismus, Tagebuch), – kriminologischer – Themen (Kriminalität, Straftäter, Strafvollzug) sowie Schriftsteller veranschaulicht. Besondere Aufmerksamkeit wird dem Werk von Karl Kraus und Robert Musil zuteil. Dabei treten Parallelen und Überschneidungen, vorrangig aber Diskrepanzen und Antagonismen im Verhältnis zwischen literarischem Diskurs und juristischem Selbstverständnis zutage. Im Werk der Schriftsteller wird ein geschärftes Sensorium und seismographisches Gespür für Rechtserkenntnis und -entwicklungen deutlich. Das zeitgenössische Recht wird vielfach – in einer für die literarische Moderne charakteristischen Weise – von den Autoren kritisch erlebt und erfahren.

1991, 528 S., kart., 97,– DM, ISBN 3-7890-2097-4

NOMOS VERLAGSGESELLSCHAFT
Postfach 610 • 7570 Baden-Baden

Birgit Dankert/Lothar Zechlin

Literatur vor dem Richter

Beiträge zur Literaturfreiheit und Zensur

In dem interdisziplinär angelegten Band analysieren 17 Beiträge das Verhältnis von Literaturfreiheit und Zensur unter rechtswissenschaftlichen und literaturtheoretischen Gesichtspunkten. Behandelt werden Probleme der Indizierung durch die Bundesprüfstelle für jugendgefährdende Schriften sowie die feministische Auffassung zu einem Verbot von Pornographie. Eine zweite Gruppe von Beiträgen befaßt sich mit eher als politisch zu bezeichnenden Zensurmaßnahmen durch Zivil- und Strafgerichte insbesondere gegenüber satirischen Darstellungen. Schließlich wird untersucht, ob auch von dem Buchmarkt mit seinen ökonomischen Gesetzmäßigkeiten zensurähnliche Effekte ausgehen.

Die juristischen Argumente, mit denen Gerichtsverfahren gegen Literatur durchgeführt werden, sind ihrerseits literaturtheoretisch kritisierbar und begründungsbedürftig. Die drei einleitenden Beiträge des Bandes (H. Ridder, W. Beutin, A. Barsch) analysieren die Entwicklung der Rechtsprechung und stellen die in ihr enthaltenen Annahmen über Absichten und Wirkungen literarischer Texte literaturwissenschaftlich in Frage. H. Groth, M. Nagl, M. Naumann, D. Schefold, Alice Schwarzer und R. Stefen untersuchen in z.T. kontroversen Beiträgen die Indizierungspraxis der Bundesprüfstelle für jugendgefährdende Schriften und stellen die feministische Position zu der Forderung nach einem Pornographieverbot dar. Eine weitere Gruppe von Beiträgen (Leonie Breuning, J. Nocke, H. Ostendorf, S. Ott, H. Ridder, Gabriele Rittig) befaßt sich mit den Zensurmaßnahmen gegenüber zeitkritischer, sich politisch verstehender Literatur durch Zivil- und Strafgerichte. Dabei spielt die Untersuchung satirischer Darstellungen ebenso eine besondere Rolle wie die der sog. Religionsdelikte. Schließlich wird der Frage nachgegangen, ob nicht auch der Buchmarkt, der nach seinen ökonomischen Gesetzmäßigkeiten selektiert, zensurähnliche Effekte hervorbringt. Die Beiträge von J. Becker, J. Reemtsma und P.O. Chotjewitz problematisieren das von ihm geschaffene Eigentumsrecht, das Copyright, dem eine besondere Form des Diebstahls, das Plagiat, entspricht und deuten die internationale Dimension des »free flow of information« an.

1988, 362 S., brosch., 48,– DM, ISBN 3-7890-1616-0

NOMOS VERLAGSGESELLSCHAFT
Postfach 610 · 7570 Baden-Baden

Alfred Hoffmann

E.T.A. Hoffmann

Leben und Arbeit eines preußischen Richters

Dieses Buch befaßt sich mit dem juristischen Wirken des berühmten romantischen Dichters, Musikers und preußischen Kammergerichtsrats E.T.A. Hoffmann. Eine Kurzbiographie schildert die zentralen Stationen seiner Juristenkarriere. Sie gibt Einblick in den richterlichen Alltag, zeigt seine Kunst der Verhandlungsführung und elegante Darstellungsgabe. Anschließend werden vier unterschiedliche von Hoffmann bearbeitete Rechtsfälle vor ihrem zeitgeschichtlichen Hintergrund rekonstruiert und interpretiert. Aus den zum Teil noch erhaltenen amtlichen Schriftsätzen lassen sich Hoffmanns imponierende Charaktereigenschaften ablesen: humane Gesinnung, Streben nach höchster Gerechtigkeit, Unbeugsamkeit gegenüber staatlicher Repression, Mut, der selbst vor einer Gefährdung der eigenen beruflichen Existenz nicht zurückschreckte. Hoffmanns juristische Arbeiten belegen aber auch seine universelle Begabung und reflektieren in seltener thematischer Bandbreite politische und kulturelle Zeitströmungen. Außerdem kann nun der gesamte Text eines zum größeren Teile verschollen geglaubten Schriftsatzes wiedergegeben werden.

Ein Buch für Juristen, Germanisten, Historiker, Politik- und Musikwissenschaftler, Hoffmann-Liebhaber.

1990, 251 S., kart., 48,– DM, ISBN 3-7890-2125-3

 NOMOS VERLAGSGESELLSCHAFT
Postfach 610 • 7570 Baden-Baden

Thomas Kreppel/Frans de Boer

Zwischen Start und Absturz

Spuren in das Jahrhundert der Computer

Beschrieben und gezeichnet von Thomas Kreppel und Frans de Boer

---

Eine überwiegend vergnügliche Sammlung von Texten und Cartoons, entstanden aus dem Wunsch, Lesern für das Zusammenleben mit ihrem neuen ständigen Begleiter, dem PC, Mut und Trost zuzusprechen. Autor und Zeichner verfolgen die Spuren des technischen Fortschritts in allerlei Lebensbereichen; dabei treffen sie häufig auf Zeitgenossen, die für das heraufziehende Jahrhundert der Computer noch liebenswert wenig gerüstet sind. Ein Buch zum nachdenklichen Blättern, kurzweiligen Lesen und zum Verschenken.

1989, 107 S., engl. brosch., 24,– DM, ISBN 3-7890-1852-X
(JURART – Recht und Kunst)

 NOMOS VERLAGSGESELLSCHAFT
Postfach 610 • 7570 Baden-Baden